Warren W. Wiersbe

1x1 des Betens

Informationen zum Autor

Warren W. Wiersbe (1929–2019) war ein weltweit anerkannter Bibelausleger und Redner. Er war Autor und Herausgeber von mehr als 150 Büchern und ermutigte Christen in der ganzen Welt. Von ihm stammt z. B. die bekannte „Be“-Kommentarreihe (dt. „Sei…“), die aus insgesamt 47 Bänden besteht, oder auch der Wiersbe-Kommentar.

Warren und seine Frau Betty, Eltern von vier Kindern, dienten in vielen Gebieten Nordamerikas und weltweit auf Bibelkonferenzen, in Gemeinden und in Bibelschulen.

WARREN W. WIERSBE

1×1 DES BETENS

Warren Wiersbe
1x1 des Betens

Best.-Nr. 271982
ISBN 978-3-86353-982-5
Christliche Verlagsgesellschaft Dillenburg

Best.-Nr. 180243
ISBN 978-3-85810-640-7
Verlag Mitternachtsruf, www.mnr.ch

Originally published in English under the title:
Prayer 101

David C. Cook, 4050 Lee Vance View, Colorado Springs,
Colorado 80918 U.S.A.

2. Auflage 2024

www.cv-dillenburg.de

Übersetzung: Michelle Träger
Satz, Cover und Umschlaggestaltung: CV Dillenburg

Druck: GGP Media GmbH, Pößneck
Printed in Germany

Wenn Sie Rechtschreib- oder Zeichensetzungsfehler
entdeckt haben, können Sie uns gern kontaktieren:
info@cv-dillenburg.de

Für unsere weltweiten Gebetspartner, die uns und unseren Dienst in den letzten 50 Jahren unterstützt und begleitet haben.

Warren und Betty Wiersbe

Inhalt

Einleitung

Die Ernsthaftigkeit des Gebets

Die Aussagen des *Book of Common Prayer*[1] (dt. etwa: *Allgemeines Gebetsbuch*) über die Ehe lassen sich auch auf das christliche Gebet übertragen. „Niemand soll unberaten oder leichtfertig in denselben (Ehe-)Stand eintreten; sondern mit heiliger Scheu und rechter Prüfung, bedachtsam, nüchtern und in der Furcht Gottes."

Die alte Formulierung „nüchtern und in der Furcht Gottes" würde man heute so ausdrücken: „Beten ist eine ernste Angelegenheit." Immerhin bedeutet Beten die Kommunikation und die Zusammenarbeit mit dem Gott des Universums, um seinen Willen auf der Erde umzusetzen. Wäre ich bei dem Präsidenten der Vereinigten Staaten oder im Buckingham Palace bei der Queen of England eingeladen, würde ich mich sehr geehrt fühlen und mich sorgfältig darauf vorbereiten. Sollte ich

1 Agenda der Anglikanischen Kirche mit Ordnungen und Hinweisen zum täglichen Gebet zu verschiedenen Gelegenheiten. Erstmals erschienen 1549 in Verantwortung durch Thomas Cranmer, Erzbischof von Canterbury (Anm. d. dt. Hg.).

mich daher weniger geehrt fühlen oder weniger vorbereitetet sein, wenn ich meinem himmlischen Vater am Thron der Gnade begegnen will? Beten sollte ein frohes Gemeinschaftserlebnis sein; aber gleichzeitig ist es auch eine ernsthafte Begegnung, denn ich möchte vor seinem Thron andächtig und ehrfürchtig erscheinen.

Vielleicht dachte der Prophet Maleachi ähnlich, als er die Tempelpriester tadelte, weil sie dem Herrn minderwertige Opfer darbrachten:

> *Auch wenn ihr Blindes darbringt, um es als Opfer zu schlachten, ist es für euch nichts Böses; und wenn ihr Lahmes und Krankes darbringt, ist es für euch nichts Böses. Bring es doch deinem Statthalter! Wird er Gefallen an dir haben oder dein Angesicht erheben?, spricht der HERR der Heerscharen.*
>
> Maleachi 1,8

Beten ist nicht nur eine ernste Angelegenheit, sondern auch ein Privileg, das teuer bezahlt werden musste. Warum sollten unsere Gebete so wertlos sein wie die Opfer, von denen Maleachi spricht? Jesus musste leiden und sterben, um uns das Privileg des Gebets erst möglich zu machen. Er bezahlte mit seinem Leben am Kreuz, damit Gläubige in das Allerheiligste eintreten können, um mit dem Herrn zu sprechen. Es waren nicht seine Lehren oder seine Wunder, die den Vorhang zum Allerheiligsten im Tempel von oben nach unten zerrissen und „einen neuen und lebendigen Weg“ eröffnet haben (Hebr 10,20). Sondern der Vorhang zerriss, weil Jesus sein Blut für unsere Sünden vergoss.

Wenn wir das Gebet leichtfertig für selbstverständlich halten, wenn wir gedankenlos und oberflächlich beten, dann achten wir den Tod des Sohnes Gottes gering. Und Gott erhört keine oberflächlichen Gebete.

Teil I

Die Grundlagen des Gebets

Derjenige, der gelernt hat zu beten,
hat das größte Geheimnis eines heiligen
und glücklichen Lebens kennengelernt.
William Law

Das Gebet ist das Wichtigste in meinem Leben.
Wenn ich auch nur einen einzigen Tag
das ***Gebet*** *vernachlässige, verliere ich viel*
vom Feuer des Glaubens.
Martin Luther

Ich wäre lieber in der Lage, beten zu können,
als ein großer Prediger zu sein;
Jesus Christus lehrte seine Jünger niemals
zu predigen – er lehrte sie nur zu beten.
Dwight L. Moody

1.

Das Geheimnis

„Wir alle wissen, was Licht ist“, sagte Samuel Johnson[2] zu seinem Freund James Boswell[3], „aber es zu beschreiben, ist nicht einfach.“ Das Gleiche hätte er auch über das Gebet sagen können, aber Boswell bemerkte, dass Johnson der Ansicht war, „es wäre müßig, philosophisch über das Gebet nachzudenken.“ Denken wir einmal über diese Aussage nach.

Nun, was genau ist Gebet? Können wir Gebet definieren? Müssen wir das überhaupt? Denn, wenn Gott allmächtig ist, warum tut er dann nicht ganz einfach das, was getan werden muss? Braucht er wirklich *unsere* Hilfe durch das Gebet, um etwas zu tun? Und wenn Gott allwissend ist, müssen wir dann überhaupt noch beten? Jesus selbst lehrte, dass der Vater alles weiß, noch bevor wir ihn darum

---

2 1790–1748, englischer Gelehrter, Lexikograf, Schriftsteller, Dichter und Kritiker. Bedeutende Persönlichkeit im literarischen Leben Englands des 18. Jahrhunderts (Anm. d. dt. Hg.).

3 1740–1795, schottischer Schriftsteller und Rechtsanwalt. Bekannt für seine hervorragende Biografie über Dr. Samuel Johnson (Anm. d. dt. Hg.).

bitten (Mt 6,8). Warum also sollten wir dann um etwas bitten? Wenn er ein liebender, fürsorgender Gott ist, der ohnehin weiß, was wir brauchen, warum sollte er dann auf unser Gebet warten, bevor er uns das gibt, worum wir ihn bitten? Ist Gott etwa unser Diener?

Je mehr du über das Gebet als solches nachdenkst und versuchst, es zu erklären, desto verwirrender scheint es zu werden. Das erinnert mich an die Fabel über den Käfer und den Tausendfüßler. Der Käfer stellt dem Tausendfüßler die Frage: „Woher weißt du, welchen Fuß du als nächsten bewegen sollst?" Daraufhin antwortet der Tausendfüßler: „Um ehrlich zu sein, habe ich noch nie darüber nachgedacht." Je mehr der Tausendfüßler über diese Frage nachdachte, desto verwirrter wurde er, bis er schließlich unfähig war, sich überhaupt noch vorwärts zu bewegen.

Um die Sache noch herausforderndер zu machen – ich frage aus bestimmten Gründen, also sei bitte geduldig mit mir –: Wie reagiert der ewige Gott auf die Gebete seines Volkes, die im Laufe der Zeit gebetet wurden? Hatte er vor Schöpfung der Welt bereits die Antworten auf die vielen Gebete seiner Kinder parat? Wie können wir Zeit und Ewigkeit deuten? „Was ist also Zeit?", fragte einst Augustinus. „Wenn mich niemand fragt, so weiß ich es; will ich es aber jemandem auf seine Frage hin erklären, so weiß ich es nicht" (*Bekenntnisse*, 11. Buch, Abschnitt 14). Sowohl der einfache Tausendfüßler als auch der große Bischof warnen uns davor, dass zu vieles Analysieren manchmal lähmen kann.

Der angesehene Autor Oswald Chambers dachte ebenfalls über diese Fragen nach und schrieb: „Wenn es um Gott, den Heiligen Geist oder das Gebet geht, sind wir alle unwissend. Es wäre unsinnig, Gebet als vernünftig zu bezeichnen; Gebet ist das Aller-vernünftigste überhaupt" (*Shade of His Hand*, S. 97). Man beachte seine Wortwahl: Gebet ist nicht *un*-vernünftig, sondern es ist das *Aller*-vernünftigste, d. h., es übersteigt unsere Vernunft. Ebenso wie Glaube, Hoffnung, Liebe, Freude und alle anderen geistlichen und emotionalen Erfahrungen, ist auch die Wirkung des Gebets nicht in einem Labor nachweisbar – dennoch ist sie nicht weniger real. Hier noch einmal ein Zitat von Chambers: „Gebet ist nicht logisch; es ist das geheimnisvolle, moralische Wirken des Heiligen Geistes" (*Christian Discipline*, Band 2, S. 51).

Ein Ungläubiger würde fragen: „Warum sollte ich beten?" Der Gläubige hingegen fragt: „Warum sollte ich nicht beten?" Wir sind Gottes Kinder, und deshalb sollte es unser Wunsch sein, mit unserem Vater zu sprechen und zu hören, was er uns sagen möchte. Tatsächlich beginnt das geistliche Leben mit dem Reden des Heiligen Geistes, um uns Heilsgewissheit zu geben, indem er spricht: „Abba, Vater" (Gal 4,6); und wir bestätigen diesen Ausdruck in unserem Zeugnis (siehe Röm 8,15). Als der auferstandene Herr dem Hananias aus Damaskus bestätigen wollte, dass es für ihn sicher sei, Saulus zu besuchen, sagte er: „... siehe, er betet" (Apg 9,11). Mehr Bestätigung brauchte Hananias nicht.

Die meisten von uns wissen nicht, wie unser eigener Verstand und unser Körper funktionieren, und dennoch können wir ein relativ normales Leben in einer komplizierten Welt leben. Ich kann zwar nicht erklären, wie mein Auto funktioniert, aber ich kann damit fahren. Auch wenn mein Computer es immer wieder schafft, mich völlig zu verwirren, kann ich ihn immerhin ein- und ausschalten und Briefe sowie Bücher darauf schreiben. Nun höre ich den Einwand: „Moment mal, bitte! Je besser du aber deinen Computer und dein Auto begreifst, desto einfacher und effektiver ist die Bedienung für dich." Einverstanden. *Also, je besser ich den Herrn kenne, umso besser kann ich beten und Gottes Antwort erkennen.* Aber um vor dem Thron der Gnade erscheinen zu können, brauche ich keinen Doktortitel in Gebet. Selbst ein neubekehrter Christ kann „Abba – Papa – Vater!" rufen.

Jemand fragte einmal Frau Einstein: „Verstehen Sie die mathematischen Gleichungen Ihres Ehemannes, Dr. Einstein?" Sie antwortete: „Nein, aber ich verstehe Dr. Einstein." Kann ich die ewigen Gleichungen des Gebets mit meinem himmlischen Vater begreifen? Nein, aber ich lerne meinen himmlischen Vater immer besser kennen, und das wiederum hilft mir, zu beten.

Viele Pharisäer, die Jesus traf, kannten sich in der Theologie aus, aber sie kannten Gott nicht. Die Schriftgelehrten zählten die Buchstaben der Worte auf den alttestamentlichen Schriftrollen, aber sie hatten es versäumt, den Gott kennenzulernen, der diese Worte durch seine Diener hatte schreiben lassen. Paulus betete dreißig Jahre nach seiner Bekehrung: „Ich möchte Christus erfahren" (Phil 3,10; NeÜ) – dabei war Paulus bereits im Himmel gewesen und wieder zurückgekommen! Doch er war sich bewusst, dass das Geheimnis eines siegreichen Lebens als Christ darin besteht, Gott immer besser zu kennen. Das Gleiche gilt auch für das Gebetsleben. Theologie hat ihren berechtigten Platz im Leben eines Christen, aber auch nur dann, wenn sie dazu führt, den Herrn besser kennenzulernen.

> GEBET IST NICHT LOGISCH, ES IST DAS GEHEIMNISVOLLE, MORALISCHE WIRKEN DES HEILIGEN GEISTES.
>
> OSWALD CHAMBERS

Warum also beten wir? Wir beten, weil Gott durch unser Gebet sich selbst verherrlicht, indem er uns das gibt, was wir brauchen, um seinen Willen und seine Werke tun zu können. „Ihr begehrt und habt nichts, ... weil ihr [Gott] nicht bittet" (Jak 4,2). Derselbe Gott, der das Ziel festsetzt, bestimmt auch die Mittel, mit denen das Ziel erreicht werden soll – und das Gebet ist ein wichtiger Teil davon. Wenn Gott etwas erreichen möchte, erwählt er dazu einen Mann oder eine Frau, vielleicht auch eine Gruppe von Gläubigen, die für diese Angelegenheit beten; und durch ihr Gebet wird sein Werk ausgeführt.

Es war Gottes Plan, David zum König über Israel zu setzen, und aus seiner Familie sollte der Retter hervorgehen. Deshalb erwählte er Hanna, die um einen Sohn betete; dieser Sohn – Samuel – war es, der David später zum König salbte.

Gott hatte in seinem Zeitplan festgelegt, dass sein Volk nach seiner 70-jährigen Gefangenschaft befreit werden würde. Als Daniel von dieser Verheißung erfuhr, begann er sofort, um deren Erfüllung zu beten; und der Herr erhörte seine Bitte (siehe Dan 9).

Gottes Wille war es, dass der verheißene Wegbereiter (siehe Jes 40,1-5; Mal 4,5-6) das Volk Israel auf den Erlöser hinweisen sollte. Deshalb drängte er Elisabeth und Zacharias dazu, für einen Sohn zu beten. Das war Johannes der Täufer. Noch bevor Jesus geboren wurde, beteten gottesfürchtige Menschen wie Simon und Hanna um die Ankunft des verheißenen Messias (siehe Lk 2,21-38); und Gott erhörte ihre Gebete.

„Ob es uns gefällt oder nicht", sagte Charles Haddon Spurgeon einmal, „das Bitten ist die Regel im Reich Gottes." Wir demütigen uns, wenn wir Gott um etwas bitten, und gleichzeitig verherrlichen wir Gott dadurch.

Wir haben nicht die Zusage, alle geheimnisvollen Zusammenhänge zwischen Gottes ewigem Ratschluss, seinen Verheißungen und dem Schreien seines Volkes voll und ganz zu verstehen und zu begreifen. Das ist auch nicht notwendig. Gott ist „über allen und durch alle und in allen" (Eph 4,6); seine Fürsorge, Macht und Gegenwart werden dafür sorgen, dass seine Absichten auch zustande kommen. Aufgrund seiner Gnade haben wir das Privileg des Gebets, durch welches wir Sündern zur Bekehrung verhelfen und an seiner Gemeinde mitbauen können. „Weder haben wir die geringste Vorstellung von dem, was unsere Gebete bewirken können", schreibt Oswald Chambers, „noch haben wir das Recht, das zu überprüfen, auszuprobieren oder zu begreifen; wir wissen lediglich, dass Jesus besonderen Nachdruck auf das Gebet legt" (*Biblische Psychologie,* S. 159). Der gottesfürchtige Robert Murray M'Cheyne schrieb einmal: „Würde man einmal den Schleier der Betriebsamkeit dieser Welt lüften, wären wir überrascht, wie viel durch das Gebet von Gotteskindern geschieht."

Wenn du eine Definition über das Gebet brauchst – hier ist eine:

Durch das Gebet gibt uns Gott Möglichkeiten, ihn zu verherrlichen, indem wir seine Liebe an seine Kinder weitergeben, ihre Bedürfnisse stillen und seine Absichten in ihren Leben und im Leben anderer bewirken können.

Diese mögliche Erklärung bezieht sich auf einige der verschiedenen Aspekte des Gebets:

Anbetung – Gott verherrlichen

Gemeinschaft – Gott lieben

Bitte – Gott um das bitten, was wir brauchen

Fürbitte – Gott um das bitten,
was andere brauchen

Ein ausgeglichenes Leben als Christ beginnt mit einem ausgeglichenen Gebetsleben.

Gebet ist eine ernste Angelegenheit und sollte Gottes Charakter reflektieren und auf seinen Verheißungen gegründet sein. Leider werden unsere Gebete manchmal von unbiblischen und ungöttlichen Vorstellungen beeinflusst und hindern Gott daran, unsere Gebete zu erhören. Wir kopieren unabsichtlich die Gebete anderer und übernehmen ihre Ansichten, die sich dann schnell in unseren Köpfen festsetzen können. A.W. Tozer ermahnt uns: „Das Wesen des Götzendienstes besteht im Festhalten an den Gottesvorstellungen, die Seiner unwürdig sind" (*The Knowledge of the Holy,* S. 11; dt. *Das Wesen Gottes*). Kein bekennender Christ würde sich freiwillig vor einem heidnischen

Götzenbild verneigen; und dennoch bitten viele Gotteskinder Gott ignorant um Dinge, die konträr zu seinem Charakter und zu seinem Wort stehen.

Im ersten Abschnitt dieses Buches werden wir uns mit einigen beliebten religiösen Floskeln beschäftigen, die oft in den Gebeten von Gotteskindern gebraucht werden; und wir werden entdecken, warum sie so gefährlich sind. Bevor wir jedoch Samen des Gebets säen, um gesunde, fruchtbringende Pflanzen anbauen zu können, ist es erst einmal nötig, das Unkraut auszureißen.

2.

„Er hat meinen *Hot Dog* ‚kaltgebetet‘!“

Nachfolgend als Beispiel eine Geschichte, die mir einmal ein Mann erzählte, der sie selbst erlebt hatte (zum Schutz des Erzählers und der betroffenen Personen wurden Einzelheiten weggelassen):

Anlässlich der jährlichen Konferenz einer Missionsgesellschaft trafen sich die Frauen zum Tee, während die Männer samt ihren Kindern bei einer traditionellen Grillfeier zusammenkamen. Normalerweise ist es bei formlosen Treffen üblich, jemanden aufzufordern, für das Essen zu danken, bevor sich die Gäste zu essen nehmen. Nun, dieses Mal war es anders: Der Gastgeber ließ die Gäste zuerst ihre Teller füllen und bat anschließend den Gastredner, das Tischgebet zu sprechen. Der gute Mann betete den Himalaya hoch und runter und umkreiste noch den Äquator, bis er schließlich ‚Amen‘ sagte. Als er geendet hatte, konnte man einen Jungen sagen hören: „Paps, der hat meinen Hot Dog ‚kaltgebetet‘!“

Eine ähnliche Geschichte hörte ich von einem Kadett der Luftwaffe, der sich seines Glaubens nicht schämte und seinen Kopf bei gemeinsamen Mahlzeiten neigte, die Augen schloss und einige Minuten lang für das Essen dankte. Eines Tages jedoch stahl jemand seinen Teller, während er betete, und versteckte ihn. Ich weiß nicht, ob er ihn je wiederbekam, aber er war mittlerweile ohnehin kalt geworden.

Ebenso wie Paulus in Galater 4,24 schreibt, sind auch diese Beispiele bildlich zu verstehen; deshalb wollen wir einige Wahrheiten darin entdecken, die für unser Gebetsleben hilfreich sein können.

❧

Als erstes zu der Frage: *Warum beten wir vor dem Essen?* Genau diese Frage stellte ich einigen Collegestudenten, die daraufhin in lautes Gelächter ausbrachen. „Wenn Sie das Essen sähen, das wir vorgesetzt bekommen, würden Sie auch vorher beten!" (Ich glaube nicht, dass das heute noch stimmt. Ich habe bereits einige Male in Schulkantinen gegessen, und das Essen dort war hervorragend.) Bei einer anderen Gelegenheit hörte ich von einem Missionar, der sein Gebet manchmal mit den Worten beendete: „Und Herr, töte bitte die Käfer!" Er wusste bestimmt, warum. Aber zurück zu unserer Frage: *Warum beten wir vor dem Essen?*

Offensichtlich danken wir dem Herrn für das Essen, das er uns gibt. Wir sind Gott dankbar. Jesus lehrte uns, um das tägliche Brot zu bitten; wenn wir das Brot vor uns sehen, möchten wir Gott für seine Gaben und für seine Fürsorge danken.

Jesus sah auf zum Himmel und betete, bevor er die 5000 Menschen satt machte (siehe Mk 6,41);

auch beim letzten Abendmahl sprach er ein Dankgebet (siehe Mk 14,22; 1Kor 11,24). Paulus dankte für das Essen, während sein Schiff im Sturm war. Dieses Gebet ermutigte die Passagiere und die Besatzung, sodass sie aßen und Gott vertrauten (Apg 27,35-36).

In 1. Timotheus 4,1-5 werden wir vor falschen Lehrern gewarnt, die nicht nur Jesu Lehre in Markus 7 ignorierten, sondern auch den Beschluss der Urgemeinde, nämlich dass alle Nahrung rein sei und mit Danksagung genommen werden sollte (siehe Apg 15). Deshalb schreibt Paulus in 1. Timotheus 4,5: „… denn es wird geheiligt durch Gottes Wort und durch Gebet." In der Bibel steht, dass die Nahrung „rein" ist und durch das Gebet dem Herrn geheiligt wird zu unserem Nutzen. (Das heißt jedoch nicht, dass jede Nahrung für uns nützlich ist. Wenn man wie ich Diabetiker ist, braucht es mehr als ein Gebet, damit ein großes Stück Sahnetorte „rein" wird!)

Meine Vorfahren kamen aus Schweden und Deutschland, und sehr früh erfuhr ich, dass meine skandinavischen Verwandten auch *nach* dem Essen beteten. Nach Kaffee und selbstgebackenem Kuchen und deutsch-schwedischen Gesprächen neigte mein Onkel Simon Carlson seinen Kopf und betete auf Schwedisch. Das war für alle das Zeichen, dass die Mahlzeit beendet war. Für mich als Kind schien das eine sonderbare Tradition zu sein, bis ich vor einigen Jahren auf die Stelle in 5. Mose 8,10 stieß: „Und hast du gegessen und bist satt geworden, so sollst du den Herrn, deinen Gott, für das gute Land preisen, das er dir gegeben hat." Beten nach dem Essen ist eine gute Disziplinarmaßnahme für

Menschen, die immer wieder dazu neigen, zu viel zu essen. Denn wie kann man für die extra Pfunde dankbar sein, die man sich gerade „angefuttert“ hat? (Das gilt in erster Linie mir.)

Also scheint das Tischgebet in erster Linie ein Ausdruck der Dankbarkeit für Gottes gnädige Fürsorge zu sein. Das Essen wird durch das Gebet ebenso geweiht *wie wir selbst als Gottes Kinder, die wir durch die Nahrung gestärkt werden, um Gott zu dienen und ihn zu verherrlichen.* Gott für das Essen nicht zu danken, wäre ein Ausdruck größter Undankbarkeit, denn er gibt mir Nahrung für meinen Körper, um in ihm und durch ihn verherrlicht zu werden! Es wäre so, als würde ich erst mein Essen genießen, um anschließend meinen Körper zu meinen eigenen Zwecken zu missbrauchen. Darum sollte auch ein Tischgebet viel mehr als ein religiöses Ritual sein. Wenn wir uns also im Gebet miteinander vereinen, sollte dies eine Zeit der Dankbarkeit und Hingabe unserem Herrn gegenüber sein.

Wie lange sollte denn nun das Tischgebet sein? Lange genug, um die obengenannten Voraussetzungen zu erfüllen.

Was aber, wenn der Heilige Geist uns drängt, ein längeres Gebet zu sprechen? Die Antwort hierauf lautet: „Die Geister der Propheten sind den Propheten untertan“ (1Kor 14,32). Wenn das auf Propheten zutrifft, die predigen, sollte das dann nicht auch denen gelten, die beten? Wenn der Prediger oder Beter tatsächlich mit dem Heiligen

Geist erfüllt ist, wird er auch die Frucht des Geistes hervorbringen, zu der u. a. Selbstbeherrschung gehört. Menschen, die sich nicht unter Kontrolle halten können, sind nicht vom Heiligen Geist erfüllt; sie werden von anderen Geistern getrieben und leben im Fleisch.

In all den Jahren meines Dienstes als Konferenzsprecher musste ich erfahren, dass es stimmt, was in Johannes 10,8a steht: „Alle, die vor mir gekommen sind, sind Diebe und Räuber." Meist nahmen die Redner, die vor mir an der Reihe waren, mehr Zeit in Anspruch, als ihnen gewährt worden war. Dadurch stand mir weniger Zeit zur Verfügung, um meine vorbereitete Predigt zu halten. Nach der Veranstaltung kamen diese Redner auf mich zu und entschuldigten sich für ihren „Diebstahl", indem sie sagten: „Ach, wissen Sie, wenn man vom Geist gedrängt wird, muss man einfach weiterreden." Aber hier wirkte nicht der Heilige Geist, denn sonst hätten sie die nötige Selbstbeherrschung gehabt und die Uhr im Blick behalten. In den vielen Jahren als Radiosprecher habe ich lernen müssen, schnell auf den Punkt zu kommen und keine teure Sendezeit zu vergeuden. Wenn diese Dinge für Predigten gelten, dann sicher auch für Gebete.

Der Evangelist George Whitfield sagte einmal über einen gewissen Prediger: „Er betete mich in eine gute Geistesverfassung hinein, und alles wäre gut gewesen, wenn er hier geendet hätte. Aber er betete mich wieder hinaus, indem er immer weiter betete." Es geschah einmal während einer Evangelisationsveranstaltung, dass Dwight L. Moody einen Bruder bat, ein Gebet zu sprechen. Dieser Mann betete und betete, bis einige Menschen aufstanden und gingen. Schließlich sagte Moody: „Während unser Bruder fertig betet, singen wir schon einmal ein Lied." Moody wollte nicht, dass der Prediger, der sicherlich gute Absichten hatte, die Gemeinschaft „kaltbetete". War es nicht Jesus, der von Menschen sprach, die mit ihren endlosen Gebeten nur andere beeindrucken wollten? (siehe Mt 23,14).

Es mag überraschen, aber wir müssen lernen, *dass Gott dem Gebet von Menschen manchmal auch Einhalt gebietet.* Nachdem das Volk Israel nach dem Auszug aus Ägypten am Roten Meer ankam, schrie Mose still zu Gott und versuchte dabei gleichzeitig, das Volk zu beruhigen. Der Herr wusste darum und sagte zu ihm: „Was schreist du zu mir? Befiehl den Söhnen Israel, dass sie aufbrechen!" (2Mo 14,15). Hör auf zu beten und ziehe los! (Es gibt viele Gemeinden, denen das gesagt werden müsste.)

Nachdem Gott Mose gesagt hatte, er dürfe nicht in das verheißene Land einziehen (siehe 4Mo 20,1-13), betete Mose darum, dass Gott diese Strafe abwenden und ihn doch nach Kanaan einziehen lassen möge. (Ich habe den Eindruck, dass Mose dieses Gebet öfters gesprochen hat.) Eines Tages jedoch machte Gott Mose deutlich, dass er dieses Gebet von seiner Gebetsliste streichen sollte, und Mose gehorchte (siehe 5Mo 3,23-29).

Als das Volk Israel eine demütigende Niederlage in Ai erlitten hatte (siehe Jos 7), zerriss Josua seine Kleidung, fiel auf sein Angesicht und schrie den ganzen Tag zu Gott. Gottes Reaktion darauf war:

„Steh auf! Warum liegst du denn auf deinem Angesicht?“ (Jos 7,10). Im Lager gab es einen Verräter, und Gott erwartete, dass Josua diesen entlarvte.

Nachdem Paulus Gott dreimal um Heilung angefleht hatte, gebot Gott ihm freundlich Einhalt und versprach ihm, seine Last in Segen umwandeln zu wollen.

Auch ich musste in meinem Gebetsleben schon mehrfach die Erfahrung machen, dass ich mehrere Wochen für eine Sache betete, bis der Herr mich davon überzeugte, es wäre genug. Entweder entsprach meine Bitte nicht seinem Willen, oder aber die Antwort war schon unterwegs. Ich wusste nicht, was der Fall war, aber ich hörte gehorsam auf, weiter dafür zu beten; und kurz danach erfuhr ich das Resultat. Manches Mal ist es eine Bibelstelle, die mir ins Auge springt. Manchmal ist es auch nur eine tiefe Gewissheit in meinem Herzen, die, so glaube ich, vom Heiligen Geist kommt.

DER HERR GEBIETET EINEM BETER MANCHMAL AUCH EINHALT.

Ja, es gibt Zeiten, in denen wir beten sollen; aber es gibt auch Zeiten, in denen wir handeln müssen. Denn der Herr möchte, dass wir uns an seinen Antworten auf unsere Gebete beteiligen. Später werde ich noch näher darauf eingehen, wenn es um die Prüfung unserer Gebete geht.

Was schließen wir daraus? Wenn du gebeten wirst, ein Tischgebet zu sprechen, dann bitte Gott einfach um den Segen für das Essen und für die

Empfänger. Halte dich an diese Vorgabe und hole nicht weiter aus. Wenn dich etwas besonders belastet und du es anderen gern mitteilen möchtest, dann könntest du das nach der Mahlzeit tun oder jemanden bitten, mit dir zu beten. Wenn die anderen Teilnehmer am Tisch es nicht eilig haben, könntet ihr nach dem Essen eine kleine Gebetsgemeinschaft haben.

SORGE DAFÜR, DASS JEDE MAHLZEIT EIN HEILIGER UND FRÖHLICHER ANLASS IST.

Ich bin überzeugt, dass Gott auch einen kalten *Hot Dog* segnen kann, aber warum sollte er? Gott könnte hier wohl ein Wunder tun und den *Hot Dog* warmhalten, bis jemand sein langes Gebet beendet hat. Aber Gott vergeudet keine Wunder. So etwas zu erwarten, grenzt nahe daran, Gott zu versuchen.

Sorge dafür, dass jede Mahlzeit ein heiliger und fröhlicher Anlass ist. Denke daran, was Mose und die Ältesten am Berg Sinai erlebten: „Sie schauten Gott und aßen und tranken" (2Mo 24,11). Die Emmaus-Jünger erlebten es ähnlich. Jesus betete, brach das Brot, und „ihre Augen wurden aufgetan, und sie erkannten ihn" (Lk 24,31).

Ich zitiere noch einmal Spurgeon: „Für Gebete in der Öffentlichkeit gilt die allgemeine Regel: je kürzer, desto besser" (*Metropolitan Tabernacle Pulpit,* Band 15, S. 106).

3.

„Ich habe eine unaussprechliche Bitte."

Möglicherweise wollte derjenige, der diese Aussage machte, eher sagen: „Ich habe eine *unausgesprochene* Bitte", wobei sein Gebetsanliegen vielleicht so schwer auf ihm lastete, dass er es kaum in Worte fassen konnte. Der Tempelmusiker Asaf machte eine ähnliche Erfahrung, denn er schreibt in Psalm 77,4: „Sinne ich nach, so verzagt mein Geist." Ebenso David, der sich vorgenommen hatte, zu schweigen; aber er konnte es nicht, denn: „Mein Herz wurde heiß in meinem Innern, bei meinem Stöhnen entbrannte ein Feuer" (Ps 39,4). Er musste reden und aussprechen, was ihm auf dem Herzen lag. Sollte es sich bei dem Satz aber wirklich nur um einen „Versprecher" handeln, dann war es vermutlich ein „Freud'scher Versprecher", der das aussprach, was tatsächlich im Herzen der Person war: Die Bitte war so furchtbar, dass sie besser unausgesprochen blieb.

Damit kommen wir zu unserem nächsten Thema: unausgesprochene Gebetsanliegen.

Nie zuvor hörte ich jemanden von einer „unausgesprochenen Bitte" reden, bis ich meinen Dienst in *Southland* (Neuseeland) begann und feststellte, dass diese Ausdrucksweise dort durchaus üblich ist. Ich erinnere mich, wie ich eines Tages in einer Gemeinde zu Besuch war und der Pastor folgende Ankündigung machte: „Eine Radiohörerin rief an, um uns an die 47 unausgesprochenen Bitten zu erinnern." Damals war ich etwas irritiert, denn ich fragte mich, was die Gemeinde für diese Gläubige beten sollte. Was würde *ich* beten, wenn ich nicht wusste, wofür? Und sicherlich ginge es auch schneller, wenn man für die 47 Anliegen zusammenfassend betete, in etwa „Herr, hilf dieser Zuhörerin mit ihren vielen Sorgen und Nöten, und zeige ihr, was sie tun soll." Aber kann man das als effektives Beten bezeichnen?

Gewiss können wir nachvollziehen, warum manche Menschen ihre Gebetsanliegen nicht öffentlich machen wollen: Ihre Sorgen und Nöte sind zu persönlich, schmerzhaft und peinlich (aber alle 47?). Wenn eine weitere Person involviert ist, könnte das Problem größer werden, falls es öffentlich gemacht würde. Eine Mutter erzählt in ihrem Gebetskreis zum Beispiel, dass sie sich Sorgen um ihren Sohn macht, der eventuell von der Uni fliegt. Jemand sagt das weiter, und schon spricht es sich herum – so nach dem Motto: „Ich möchte ja nicht tratschen, aber damit du beten kannst …" Stellen wir uns nun vor, der Sohn hört davon: Er wird seiner Mutter und dem Gebetskreis bestimmt den Krieg erklären. Wenn man der gesamten Gemeinde von seinem nörgelnden Ehemann oder einem missratenem Verwandten erzählt, kann das entweder ein Glaubensbeweis sein oder zu einer Kriegserklärung werden.

Wenn ich aber für alle 47 unausgesprochenen Bitten eines Freundes beten kann, warum sollte ich dann nicht auch meine *ausgesprochenen* Bitten zusammenfassen und somit Zeit sparen? „Herr, hier hast du meine Gebetsliste, und erfülle jetzt alle meine 47 Bitten." Ich habe die Bibel durchforstet und kein Bespiel dafür gefunden, dass Gläubige ihre unausgesprochenen Bitten anderen mitgeteilt haben, noch wie wir damit umgehen sollten. Weder teilte Hanna Eli mit, weshalb sie so niedergeschlagen war, noch definierte sie ihre Not als eine „unausgesprochene Bitte". Zuerst verstand Eli sie falsch und rügte sie, aber dann begriff er, dass sie aufrichtig war und Gottes Hilfe suchte (siehe 1Sam 1,9-18).

Nehemias Sorge um Jerusalem war so groß, dass sogar ein heidnischer König ihm das ansah und ihn nach dem Grund fragte. Daraufhin teilte Nehemia dem König seine Last mit und bat ihn um offizielle Hilfe. Der Herr erhörte seine Gebete (siehe Neh 2,1-9). Das Haus von Chloe schrieb auch nicht an Paulus: „Hier in der Gemeinde in Korinth haben wir zehn unausgesprochene Probleme." Stattdessen schrieben sie ihm einen Brief, in welchem sie jedes einzelne Problem der Gemeinde detailliert aufführten und ihn um Antwort baten (siehe 1Kor 1,11). Waren die Angehörigen des Hauses von Chloe deshalb beliebter als die fleischlichen Christen in der Gemeinde? Wahrscheinlich nicht; aber durch diesen Brief gab Paulus die vom Herrn inspirierten Antworten. Dieser Brief war für die Gemeinde in Korinth hilfreich – und seither auch für alle Gläubigen.

Wir können das Problem der „unausgesprochenen Bitten" nicht lösen, wenn wir uns weigern, unsere Gebetsanliegen zu nennen. Aber wir sollten gleichzeitig andere Menschen ermutigen, nur so viel wie nötig zu sagen, um kein Vertrauen zu zerstören. Die Aussage „Ich habe vier unausgesprochene Bitten" würde vielleicht mehr Gebetsunterstützung auslösen, wenn man das anders ausdrücken würde: „Ich muss vier schwierige Entscheidungen treffen und brauche dafür Weisheit", oder: „In meinem Leben gibt es vier schwierige Personen, und ich brauche Weisheit, wie ich ihnen begegnen und mit ihnen umgehen soll." Vielleicht ist es heute notwendiger denn je, dass Gläubige als treue Gebetspartner lernen, wann sie etwas vertraulich behandeln und stattdessen dafür beten sollten. Ich bin dem Herrn so dankbar für die Menschen, die mich durch ihr Gebet in schwierigen Situationen getragen haben, ohne dass sie dabei die Einzelheiten in ihrer nächsten Gebetsversammlung weitersagten.

VIELLEICHT IST ES HEUTE NOTWENDIGER DENN JE, DASS GLÄUBIGE ALS TREUE GEBETSPARTNER LERNEN, WANN SIE ETWAS VERTRAULICH BEHANDELN UND STATTDESSEN DAFÜR BETEN SOLLTEN.

Wenn du als Gläubiger einen geheimen Kampf zu kämpfen oder eine schwere Last zu tragen hast und du dies nicht öffentlich sagen möchtest, dann verlass dich auf das, was in Römer 8,26-27 steht: Der himmlische Vater versteht die „unausgesprochenen Bitten" (ja sogar die „unaussprechlichen Bitten"), und er ermutigt dich, furchtlos („mit Redefreiheit") zum Thron der Gnade zu kommen. Bitte ihn auch, dir einen vertrauenswürdigen Gebetspartner zur Seite zu stellen, damit ihr euch gegenseitig eure Sorgen mitteilen könnt. Denn schließlich „sind zwei besser dran als ein Einzelner" (siehe Pred 4,9-12).

4.

„Herr, bitte mach diesen Unfall ungeschehen!“

Ein Teenager sprach dieses Gebet, nachdem er den Wagen seines Vaters zu Schrott gefahren hatte. Aber in den Polizeiunterlagen fand man keinen Hinweis darauf, dass seine Bitte erhört worden wäre.

Das „Gebet“ dieses Jungen erinnert mich an die bekannte Aussage von Ambrose Bierce über das Gebet: „Beten ist das Verlangen, dass die Gesetze des Universums zugunsten eines einzelnen Bittstellers aufgehoben werden, der offen bekennt, unwürdig zu sein.“ Über dieses Zitat kann man lächeln, dennoch trifft es auf das Gebet des jungen Mannes zu. (Vielleicht auch auf *unsere* Gebete?) Aber Bierces Definition ist ebenso töricht wie das „Gebet“ des Teenagers.

Zugegeben, Gott hat aufgrund mancher Gebete die Naturgesetze des Universums außer Kraft gesetzt, um große Wunder zu vollbringen. Das geschah bei Mose am Roten Meer, bei Josua am Jordan und bei Jesus, als er Kranke heilte und Tote auferweckte, ja, sogar bei seiner eigenen Auferstehung von den Toten. Das größte Wunder jedoch ist, wenn Gott das

Gebet von Menschen um Sündenvergebung erhört und unser Leben verändert, weil wir mit ihm leben. Dieses Wunder reicht bis in die Ewigkeit hinein.

Gott hätte das Gebet des jungen Mannes durchaus erhören können. Dazu hätte er nur die Erde bis auf die Zeit vor dem Unfall zurückdrehen und den Unfall somit verhindern müssen. Oder er hätte nur ein Wort sprechen müssen, und das Auto wäre wieder heil gewesen. „Sollte für den HERRN eine Sache zu wunderbar sein?“ (1Mo 18,14). Würde Gott jedoch alle Konsequenzen unserer törichten Taten oder unseres Ungehorsams ihm gegenüber verhindern oder ungeschehen machen, so würden wir keine Charakterfestigkeit entwickeln und niemals zu Gottes treuen Dienern werden, die seinen Willen tun wollen. Wenn Gott nach einem Wunsch wie dem des Teenagers handeln würde, dann bräuchten auch wir uns nie mehr um unseren Ungehorsam oder irgendwelchen anderen Unsinn Gedanken machen. Falls wir etwas Dummes anstellten, würde Gott „einmal pusten“, und alles wäre wieder gut. Aber so würden wir niemals aus unseren Fehlern lernen. Und so funktioniert das zum Glück auch nicht.

GOTT HAT AUFGRUND VON MANCHEN GEBETEN DIE NATURGESETZE AUSSER KRAFT GESETZT, UM GROSSE WUNDER ZU VOLLBRINGEN.

Dieses „Herr, bitte mach diesen Unfall ungeschehen!“ ist nicht wirklich ein Gebet – es ist lediglich ein Ausdruck von religiösem, jugendlichem Wunschdenken. Der Teenager glaubte, ebenso wie Adam und Eva, der Lüge des Teufels: „Keineswegs werde ihr sterben!“ (1Mo 3,4). Anders ausgedrückt hieße das: „Dummheit und

Ungehorsam haben keine Konsequenzen!“ Das Gebet des Jungen, so dumm es auch sein mag, bringt uns zu der Thematik, die für ein gelingendes Gebetsleben entscheidend ist: der Zusammenhang zwischen Gebet und der Souveränität Gottes.

☙

Nachdem der Geisteszustand von Nebukadnezar wiederhergestellt und er (wahrscheinlich) zum Glauben gekommen war, drückte er seinen Glauben an die Souveränität Gottes folgendermaßen aus:

> ... *dessen Herrschaft eine ewige Herrschaft ist und dessen Reich von Generation zu Generation währt. Und alle Bewohner der Erde sind wie nichts gerechnet, und nach seinem Willen verfährt er mit dem Heer des Himmels und den Bewohnern der Erde. Und da ist niemand, der seiner Hand wehren und zu ihm sagen könnte: Was tust du?*
>
> Daniel 4,31b-32

Diesen Gott beten wir an, ihm dienen wir, und zu diesem Gott dürfen wir beten! Wenn wir Gottes Souveränität außer Acht lassen, verstummen nicht nur unsere Anbetung und Gebete, sondern auch die Quelle des Lebens, der Weisheit und der Kraft wird versiegen. Nachdem Petrus und Johannes aus dem Gefängnis entlassen und gewarnt worden waren, weiter im Namen Jesu zu reden, inszenierten sie keine Demonstration oder ersuchten polizeilichen Schutz. *Sie besuchten die Gebetsgemeinschaft der Gläubigen und beteten den allmächtigen Gott an.* Sie beteten so:

Sie aber, als sie es hörten, erhoben einmütig ihre Stimme zu Gott und sprachen: Herrscher, du, der du den Himmel und die Erde und das Meer gemacht hast und alles, was in ihnen ist; der du durch den Heiligen Geist den Mund unseres Vaters, deines Knechtes David, gesagt hast: „Warum tobten die Nationen und sannen Eitles die Völker? Die Könige der Erde standen auf und die Fürsten versammelten sich gegen den Herrn und seinen Gesalbten." Denn in dieser Stadt versammelten sich in Wahrheit gegen deinen heiligen Knecht Jesus, den du gesalbt hast, sowohl Herodes als auch Pontius Pilatus mit den Nationen und den Völkern Israels, alles zu tun, was deine Hand und dein Ratschluss vorherbestimmt hat, dass es geschehen sollte. Und nun, Herr, sieh an ihre Drohungen und gib deinen Knechten, dein Wort mit aller Freimütigkeit zu reden, indem du deine Hand ausstreckst zur Heilung, dass Zeichen und Wunder geschehen durch den Namen deines heiligen Knechtes Jesus.

Und als sie gebetet hatten, erbebte die Stätte, wo sie versammelt waren; und sie wurden alle mit dem Heiligen Geist erfüllt und redeten das Wort Gottes mit Freimütigkeit.

Apostelgeschichte 4,24-31

Dieses niedergeschriebene Ereignis macht deutlich, dass es keinen Widerspruch zwischen Gottes Souveränität und dem Gebet des Glaubens gibt. Derselbe Gott, der das Ende bestimmt, setzt auch die Mittel zum Erreichen dieses Zieles fest, nämlich das Gebet im Namen Jesu. Sie beteten zu dem

„Herrscher" – wörtlich „Gewaltherrscher" –, dessen Macht man anhand seiner geschaffenen Schöpfung erkennen kann. Jesus nannte ihn „Herr des Himmels und der Erde" (Lk 10,21); und Paulus macht deutlich, dass Jesus „hoch über allen Mächten und Gewalten [steht], hoch über allem, was Autorität besitzt und Einfluss ausübt; er herrscht über alles, was Rang und Namen hat" (aus Eph 1,21; NGÜ).

Es scheint unglaublich, aber wenn wir zu dem Herrn nach seinem Willen beten, steht uns die allmächtige Macht zur Verfügung, die das Universum geschaffen hat und erhält.

Die Gebete von Petrus und Johannes gründeten sich auf Gottes Wort, denn nach Psalm 2 müssen Gottes Wort und Gebet immer in Übereinstimmung sein. Jesus sagte: „Wenn ihr in mir bleibt und meine Worte in euch bleiben, so werdet ihr bitten, was ihr wollt, und es wird euch geschehen" (Joh 15,7). Wenn wir von Gottes Geist (siehe Eph 5,18) und seinem Wort (siehe Kol 3,16) erfüllt sind, wird sein Wille zu unserem Willen, und dann werden wir nach seinem Willen beten. Der Erzbischof Trench sagte einmal: „Beten heißt nicht, Gott unseren Willen aufzuzwingen, sondern von seinem Wohlwollen uns gegenüber auszugehen." Und Robert Law sagte in *The Tests of Life,* seinem Kommentar zum 1. Johannesbrief: „Das Gebet ist ein gewaltiges Instrument; es ist nicht dazu da, um den Willen eines Menschen im Himmel zu erfüllen, sondern um Gottes Willen auf der Erde zu vollbringen" (S. 304).

Es ist auffallend, dass die Gebete der Urgemeinde nicht *gegen* ihre Unterdrücker gerichtet waren. Die Gläubigen beteten weder, dass die Verfolgung aufhören möge (die Verfolgungen nahmen sogar noch zu), noch dass die Feinde des Evangeliums vernichtet würden. Stattdessen beteten sie, dass der Herr seiner Gemeinde die Kraft geben möge, mutig Zeugnis zu geben, damit der Name des Herrn verherrlicht würde (siehe Apg 4,29-30). Sie beteten nicht um Bequemlichkeit oder Schutz, sondern darum, dass der allmächtige Gott verherrlicht würde. „Betet nicht um ein einfaches Leben", sagte Phillips Brooks. „Betet darum, dass ihr zu besseren Männern und Frauen werdet. Bittet nicht um Aufgaben, für die eure Kraft ausreicht, sondern um genügend Kraft, damit ihr eure Aufgaben erfüllen könnt."

WENN WIR VON GOTTES GEIST UND SEINEM WORT ERFÜLLT SIND, WIRD SEIN WILLE ZU UNSEREM WILLEN, UND DANN WERDEN WIR NACH SEINEM WILLEN BETEN.

Es war einmal ein Christ, der sich darüber aufregte, weil sich die Regierung seiner Meinung nach zu sehr in sein Leben einmischte. So betete er einmal öffentlich, dass Gott „entweder alle gewählten Staatsbeamten bekehren oder töten sollte". Zwar war die Bitte um Errettung biblisch, aber nicht die um den Tod. Wenn einer das Recht gehabt hätte, für Gottes Gericht über seine Verfolger oder Mörder zu beten, dann wären es Jesus oder Stephanus gewesen. Aber beide beteten, dass ihren Mördern vergeben würde (siehe Lk 23,24; Apg 7,60).

Die ersten Gemeinden beteten: „Hilf deinen Dienern" (Apg 4,29; NeÜ), und Gott erhörte ihr Gebet. Der Ort, wo sie sich versammelt hatten, wurde erschüttert, und die Gläubigen wurden mit dem Heiligen Geist erfüllt. Obwohl es ihnen offiziell verboten wurde, sagten sie Gottes Wort mutig weiter. Johannes Chrysostomos[4] sagte einmal: „Die Erde wurde erschüttert, und das machte sie noch unerschütterlicher" (*The Nicene and Post-Nicene Fathers,* Band 11, S. 73).

Wenn ich über den Zusammenhang zwischen Gebet und Gottes Souveränität nachdenke, fällt mir Abrahams Gebet aus 1. Mose 18,22-33 ein. Der Herr teilte Abraham mit, dass er die Stadt Sodom vernichten wollte. Abraham aber machte sich Sorgen, weil sein Neffe Lot mit seiner Familie dort lebte. Außerdem wollte er nicht, dass die gottlosen Menschen, die er selbst zuvor schon einmal gerettet hatte (siehe 1Mo 14), umkamen. Abraham war um seine unerlösten Nachbarn besorgt und legte deshalb Fürsprache für sie ein.

Hier sehen wir Gottes souveräne Gnade: Er teilte Abraham seine Absichten mit, weil er ihn als seinen Diener auserwählt hatte. Dadurch gab er ihm die Möglichkeit, darauf zu reagieren. Vielleicht war Abraham von dem fehlenden, geistlichen Urteilsvermögen seines Neffen enttäuscht. Er hätte sagen können: „Lot hat sich den Schlamassel selbst eingebrockt; es ist seine Schuld, dass er jetzt leiden muss. Und die Menschen in Sodom sind so bösartig, dass sie bestraft werden müssen."

Doch Abraham antwortete nicht in selbstgerechtem Zorn; stattdessen „trat er heran", um vor

---

4 ca. 344–407 n. Chr., Bischof von Konstaninopel, einer der bekanntesten Prediger der Christenheit. Er stammte aus Antiochia. Sein griechischer Beiname „Chrysostomos" bedeutet „Goldmund" (Anm. d. dt. Hg.).

dem Herrn zu beten. Das Wort im Hebräischen für „herantreten" hat noch eine weitere Bedeutung: Es meint „einen Fall vor Gericht vortragen" (siehe Jes 41,1.21). Abraham bat den Herrn, die Stadt Sodom wegen der Gerechten, d. h. wegen Lot und seiner Familie (siehe 2Petr 2,6-8), die in der Stadt lebten, zu verschonen. Es scheint, als hätten Lot und seine Frau mindestens zwei verheiratete und zwei alleinstehende Töchter gehabt. Hätte Lot seine Frau, seine unverheirateten Töchter, seine verheirateten Töchter und ihre Ehemänner und *zwei weitere Personen* für Gott gewinnen können, wäre die ganze Stadt verschont geblieben. Aber so gingen die Bewohner Sodoms ohne Gott in die Ewigkeit.

Abrahams Einspruch stützte sich auf Gottes Gerechtigkeit. Er stritt oder verhandelte nicht mit Gott, um ihn von seinem souveränen Willen umzustimmen. Hätte Gott „Nein" gesagt, hätte Abraham von seinen Vermittlungsversuchen Abstand genommen. Obwohl Lot nicht in Sodom hätte leben sollen, wäre es doch auch nicht gerecht, wenn er zusammen mit allen gottlosen Menschen umkommen würde. Wir finden in der Bibel keinerlei Hinweis darauf, dass Lot *wie* die Menschen in Sodom lebte; er lebte lediglich *mitten unter* ihnen. Deshalb demütigte sich Abraham vor dem Herrn und versuchte, ihn davon zu überzeugen, die Stadt doch noch zu verschonen. Der gottesfürchtige Samuel Rutherford schrieb: „Der Glaube bewirkt, dass wir Gottes liebevolle Güte in den härtesten Situationen unseres Leben beanspruchen können."

Die beiden Engel fanden nicht einmal zehn gerechte Menschen in der Stadt, doch gnädigerweise boten sie Lot und seiner Familie die Gelegenheit zur

Flucht. Die verheirateten Töchter blieben mit ihren Ehemännern in Sodom, aber Lot floh zusammen mit seiner Frau und seinen beiden unverheirateten Töchtern. Lots Frau war Gott gegenüber ungehorsam, drehte sich auf der Flucht nach Sodom um und wurde augenblicklich gerichtet. Letzten Endes rettete Gott Lot und seine beiden Töchter um Abrahams willen. Wir wollen nicht vergessen, dass Gott auch heute noch Sünder nicht deshalb rettet, weil sie es verdienen würden, sondern seinem Sohn zuliebe.

Ist es deine Vorstellung von Gottes Souveränität, die dich davon abhält, ein Zeugnis zu sein oder zu beten? Dann ist sie falsch. Gott beruft uns Menschen aus freier Gnade, damit wir ein Zeugnis sein und voller Zuversicht predigen können, da wir wissen, dass sein Wort niemals leer zurückkommt. Gott hält das gesamte Universum in seiner Hand, sodass wir furchtlos zu ihm beten dürfen. Wir wissen nicht immer, was wir beten oder wie wir sein Wort weitersagen sollen; aber wenn wir an Gott, den Allmächtigen, den Schöpfer des Himmels und der Erde glauben (siehe Ps 124,8) und wenn es unser Wunsch ist, dass sein Name geheiligt wird (Mt 6,9), dann wird unser souveräner Herr uns hören und seinen Willen ausführen.

Wir sollten niemals über Gebetserhörungen prahlen, denn sie sind ein Geschenk Gottes. Noch sollten wir uns beschweren, wenn unsere Gebete unbeantwortet bleiben oder nicht so ausfallen, wie wir erhofft haben. Unser liebender Vater weiß, was am besten für uns ist.

A. W. Tozer schrieb einmal: „Bei all unseren Gebeten sollten wir niemals vergessen, dass Gott seine ewigen Absichten nicht nach den Wünschen eines Menschen verändern wird. Wir beten nicht, um Gott davon zu überzeugen, seine Meinung zu ändern. … Vielmehr bringt der Betende seinen Willen in Übereinstimmung mit Gottes Willen, damit Gott das tut, was er ohnehin bereits lange geplant hat" (*The Price of Neglect,* S. 51–52). Denn beten wir nicht immer wieder: „Dein Wille geschehe, wie im Himmel, so auch auf Erden!" (Mt 6,10)? Die Strafe, die Gott am meisten schmerzt, ist, wenn er seinen Kindern das gibt, worum sie ihn gebeten haben, obwohl er etwas viel Besseres für sie beabsichtigt hat. Viele von uns haben hoffentlich gelernt, für unsere unerhörten Gebete dankbar zu sein.

Wenn du also das Auto geschrottet hast oder dich in einer ausweglosen Situation befindest, frage Gott nicht: „*Wie* kann ich hier herauskommen?", sondern: „*Was* kann ich daraus lernen? *Was* ist dein Wille?" Gott ließ für Hiskia die Schatten der Stufen an der Sonnenuhr rückwärtsgehen (siehe Jes 38,7-8), und für Josua ließ er die Sonne später untergehen (siehe Jos 10,12-15). Auch heute noch kann Gott Wunder tun. Aber wir sollten ebenso wie Jesus beten: „Mein Vater, wenn es möglich ist, so gehe dieser Kelch an mir vorüber! Doch nicht wie ich will, sondern wie du willst" (Mt 26,39). Noch immer gibt Gott sein Bestes denen, die ihm die Entscheidung überlassen.

5.

„Wir wollen noch kurz miteinander beten."

Ehrlich gesagt wäre es gewiss klüger, zu sagen: „Lasst uns beten!" Oder: „Wir wollen einige Zeit im Gebet verbringen."

Denn was meinen wir mit „kurz miteinander beten"? Etwas „kurz" zu machen, bedeutet, es in aller Knappheit darzulegen, sich nicht in langen Ausführungen, Erklärungen, Beschreibungen o. Ä. zu ergehen. Oder einfach ausgedrückt: eine kurze Unterhaltung führen. Ich habe schon Menschen sagen hören „Wir wollen noch kurz miteinander beten", die dann anschließend mindestens zehn Minuten lang gebetet haben.

Leider bleiben diese „frommen Phrasen" nicht nur in unseren Köpfen hängen, sondern sie gehen uns auch in Fleisch und Blut über, ohne dass wir uns weitere Gedanken darüber machen, was wir überhaupt sagen! In unseren traditionellen Gebetsversammlungen sind solche Redewendungen ebenfalls oftmals zu hören; wenn aber unsere Gebetstreffen zur Tradition werden, sollten wir um Erweckung und Erneuerung beten. Wenn wir uns einander immer nur zu einem kurzen Gebet auffordern, ist uns eventuell die Ernsthaftigkeit des Gebets abhandengekommen. Manchmal plappern wir es sogar in einem Atemzug:

> *„Wirwollennochkurzmiteinanderbeten UnserVaterimHimmel …"*

Wir wissen wohl, dass Gott nicht möchte, dass wir uns ins Gebet stürzen. Sicherlich können wir uns in Notsituationen nicht angemessen vorbereiten, wenn es uns z. B. wie Petrus ergeht, der nur noch „Herr, rette mich!" schreien konnte, als er auf dem See Genezareth unterzugehen drohte. Wahrscheinlich sind aber solche gefährlichen Situationen eher selten in deinem Leben, es sei denn, du bist ein Formel-1-Rennfahrer oder als Tierpfleger im Zoo für die Raubkatzen verantwortlich.

Während meiner Zeit mit *Youth For Christ* (Jugend für Christus) musste ich sehr schnell die Wichtigkeit des Gebets lernen, denn bei *Youth For Christ* erlebten wir ein Wunder nach dem anderen. Wir trafen uns sowohl zu festgesetzten als auch zu spontanen Gebetstreffen – je nachdem, wie es erforderlich war. Bei diesen Treffen erinnerten uns Bob Cook[5] und Ted Engstrom[6] immer wieder daran, dass wir unsere „Gebetsroutine" fallen lassen und für die wirklich wichtigen Dinge beten sollten.

---

5 1912–1991, eigentlich Robert Andrew Cook, Mitbegründer von *Youth for Christ* und zweiter Präsident der Organisation (Anm. d. dt. Hg.).

6 1916–2006, eigentlich Theodore Wilhelm Engstrom, Gründer von *Youth for Christ* und von *World Vision International.* Leiter des ersten Evangelisationsfeldzugs von Billy Graham (1947) (Anm. d. dt. Hg.).

Ich musste feststellen, dass diese „Routine“ in meinem eigenen Gebetsleben hinderlich war. Wie leicht können wir die „Gebets-CD“ in den Schlitz legen und auf „Start“ drücken, um dem Herrn immer und immer wieder dieselben Bitten vorzutragen. Vielleicht war es das, was Jesus meinte, als er sagte: „Wenn ihr aber betet, sollt ihr nicht plappern wie die von den Nationen“ (siehe Mt 6,7; „Leiere nicht gedankenlose Gebete herunter“ nach *Hoffnung für alle*). In meiner griechischen Übersetzung heißt es „reden ohne nachzudenken“. Das kann besonders für die, die nach einer täglichen Gebetsliste beten, schnell zu einem Problem werden.

ROUTINE KANN SEHR SCHNELL ERMÜDEND SEIN, UND EINTÖNIGKEIT WIRD LANGWEILIG.

Ein frisches und lebendiges Gebetsleben folgt der echten Anbetung Gottes und dem leidenschaftlichen Lesen und Studieren in seinem Wort. Dadurch lassen wir uns vom Heiligen Geist zeigen, was wir denken und sagen sollen, statt dass wir der „Ermüdung des Leibes“ nachgeben. Wenn ihr zum Beten zusammenkommt, achtet darauf, was die anderen beten. Wenn du der Gebetsleiter bist, ist es deine Aufgabe, für eine lebendige Atmosphäre zu sorgen (denke an Eutychus – Apg 20,7-12). Lass die Gruppe durchaus auch einmal aufstehen, singen oder in kleinen Gruppen zusammen beten. Routine kann sehr schnell ermüdend sein, und Eintönigkeit wird langweilig. Es ist hilfreich, Gebetsanliegen an einer Tafel für alle lesbar anzuschreiben; auch können ausgedruckte Gebetslisten für ein Treffen den Vorteil haben, dass man diese mit nach Hause nehmen kann.

Noch ein Wort der Warnung: Bei all unseren Anstrengungen, unsere Gebetsfloskeln loszuwerden, sollten wir darauf achten, nicht „überheblich" zu werden. Das Gebet sollte nicht dazu gebraucht werden, unsere niveauvolle Sprache und Klugheit zur Schau zu stellen oder auswendiggelernte Verse aufzusagen. „Sei nicht vorschnell mit deinem Mund", warnte einst Salomo, „und dein Herz eile nicht, ein Wort vor Gott hervorzubringen!" (Pred 5,2). Wenn wir es schaffen, in unserem privaten Gebetsleben gewissenhaft und ehrlich vor Gott zu sein, wird es uns auch nicht schwerfallen, in der Öffentlichkeit aufrichtig zu beten. Paulus ermunterte uns, mit dem Gebet niemals aufzuhören (1Thes 5,17), und nicht mal eben „kurz zusammen zu beten".

6.

„Danke, Vater, dass du für uns am Kreuz gestorben bist!"

Diese Worte betete ein Gemeindemitarbeiter als Eröffnungsgebet des morgendlichen Anbetungsgottesdienstes. Offensichtlich war er unvorbereitet gewesen und kurzfristig für jemand anderen eingesprungen, um ein Gebet zu sprechen.

Ich war schon bei Gottesdiensten anwesend, in denen der Gebetsleiter mit einem Monitor vor sich auf der Kanzel stand. Seine bescheidene Aufgabe war es, die Gebete mit herzlichem Ausdruck vorzulesen. Für manche mag hierbei die vermeintliche, spontane Glaubwürdigkeit fehlen; aber das ist wahrscheinlich das kleinere Übel im Vergleich dazu, dass übereilte Gebete die Zuhörer über die Trinität und andere Lehrfragen verwirren.

Charles Haddon Spurgeon ermunterte einst seine Schüler, seinem Beispiel zu folgen und ihre öffentlichen Gebete vorzubereiten, d. h., sie sollten sie durchdenken (nicht notwendigerweise aufschreiben). Wir machen uns doch auch Notizen oder Gedankenstützen, bevor wir eine Andacht o. Ä. halten, warum also nicht auch fürs

Gebet? Dann können wir uns ganz auf den Herrn konzentrieren und uns daran erinnern, wenn wir beten: „Unser Vater, …“

7.

„Beten wir noch, dass wir Glück haben!“

Ich kann mich nicht mehr erinnern, wann und in welchem Zusammenhang ich diese Aussage gehört habe, aber ich war doch schockiert, Beten und Glück im selben Atemzug zu hören. Es ist doch so: Wir beten, weil wir an Gott glauben und ihm vertrauen, dass er uns weise führt und versorgt. Glauben wir aber an das Glück, so meinen wir, dass alles im Leben nur zufällig geschieht und niemand es in der Hand hat. Es ist traurig, zu sehen, wie viele Menschen tagtäglich ihr Horoskop lesen, Tarot-Karten befragen oder Gurus bezahlen, damit sie irgendein Medium anzapfen, und selbst TV-Spiritisten telefonisch um Rat fragen. Sie ignorieren dabei gänzlich die Tatsache, dass dies alles ihnen nichts über ihre Zukunft mitteilen kann und diese deshalb auch nicht kontrolliert werden kann.

Ich habe festgestellt, dass Menschen, die ihren Glauben an Gott mit dem Glauben an Glück vermischen, ihr Versagen oftmals als Unglück bezeichnen, während sie ihren Erfolg selten Gott zuschreiben. Sollte jemand, den sie nicht mögen, erfolgreich sein, war es nur Glück und nicht das Ergebnis seines intensiven Einsatzes. Ihren eigenen Erfolg jedoch schreiben sie ihrem persönlichen Einsatz und nicht dem Segen Gottes zu. Wer so denkt, wird wohl kaum zu folgender Aussage kommen, die Abrahams treuer Diener machte: „Mich hat der Herr … geführt“ (1Mo 24,27).

Vielleicht war Jakobs Frau Lea ähnlich gestrickt. Sie gab ihrem Mann ihre Magd Silpa zur Frau und nannte Silpas ersten Sohn „Gad“ (siehe 1Mo 30,9-10). Gad bedeutet „Glück“ und war der Name eines heidnischen Gottes. Bedenke, wie Gott diese Sache beurteilt:

> *Doch ihr, die ihr den Herrn verlasst, den Berg meines Heiligtums vergesst, die ihr einen Tisch für Gad, den Glücksgott, deckt und der Schicksalsgöttin Meni Wein in den Mischkrug füllt: Das Schwert ist euch als Schicksal bestimmt.*
>
> Jesaja 65,11-12

Strenggläubige Juden glaubten nicht an Glück oder Schicksal, denn sie vertrauten darauf, dass der allmächtige Gott das Universum in seiner Hand hält – einschließlich ihres eigenen Lebens und der Zukunft ihres Volkes (siehe 1Mo 28,15; Ps 34,20). Menschlich gesehen schienen „Zeit und Schicksal“ festgelegte Ereignisse zu sein (siehe Pred 9,11), aber die Juden wussten, dass Jahwe auf dem Thron sitzt.

„Im Gewandbausch schüttelt man das Los, aber all seine Entscheidung kommt vom HERRN“ (Spr 16,33). Es schien Zufall zu sein, als Rut zum Ährenlesen auf Boas’ Felder traf, aber es war Gottes

Fürsorge. Sogar die verbitterte Naomi musste einsehen, dass hier Gott seine Hand im Spiel hatte (siehe Rt 2,19-23). Auch die verlorengegangenen Esel in 1. Samuel 9 waren kein Zufall, sondern Vorsehung; auch Davids häufiges knappes Entkommen vor König Saul war eher himmlische Fürsorge als das Ergebnis von Davids strategischen Plänen: „Meine Hilfe kommt vom HERRN, der Himmel und Erde gemacht hat“ (Ps 121,2). Die Christen des Neuen Testaments hatten denselben Glauben (siehe Apg 4,27-30; Röm 8,28), und wir sollten ihn ebenso unter Beweis stellen.

8.

„Ich kann Sie nicht verstehen!“

Der beliebte Fernsehmoderator Bill Moyers gehörte einst zum Stab des Weißen Hauses, als Lyndon B. Johnson Präsident war. Als ordinierter Pastor wurde Moyers oftmals vom Präsidenten gebeten, das Tischgebet beim gemeinsamen Mittagessen zu sprechen. Als er eines Tages wieder einmal für das Essen danken sollte, raunte der Präsident ihm zu: „Lauter! Ich kann Sie nicht verstehen!“ Moyers gab zur Antwort: „Ich spreche ja auch nicht mit Ihnen!“

Es war ja nicht so, dass Präsident Johnson glaubte, Gott zu sein und das Gebet hören zu *müssen,* aber da er zu Tisch war, *wollte* er auch hören, was gebetet wurde, um am Segensgebet Anteil zu nehmen. Ich stimme dem Präsidenten zu, denn auch ich saß schon oft an Tischen oder nahm an zahlreichen Gebetsversammlungen teil, bei denen ich überrascht feststellte, dass viele nur leise vor sich hinbeteten und den Anwesenden dadurch nicht die Möglichkeit gaben, mit ihnen gemeinsam zu beten oder gar ein leises „Amen“ zu ihrem Anliegen sagen zu können.

Da fällt mir eine andere Begebenheit ein, bei der das Gegenteil der Fall war. Der größte Gebetskämpfer, den ich je kennengelernt habe, war der Gründer der *Slavic Gospel Association,* Peter Deyneka Senior. In meiner Zeit als Pastor in Chicago war es für mich stets bereichernd, wenn Peter und ich uns zum Beten trafen. Anlässlich eines *Youth for Christ*-Gebetstreffens im Westminster Hotel in Winona Lake, Indiana, betete Peter eines Abends sehr eindringlich, und mit jeder Bitte stieg seine Lautstärke noch mehr an. Einer der Hotelgäste, der schlafen wollte, fühlte sich durch Peters laute Stimme gestört. Er ließ eine Nachricht überbringen und bat, Peter solle doch seine Stimme senken. Einer der Männer sagte: „Peter, Gott ist nicht taub!“, worauf Peter antwortete: „Und er ist auch nicht empfindlich!“, und unbeeindruckt weiterbetete.

Vielleicht sollte unser Gebet irgendwo zwischen diesen beiden Extremen liegen. Sicher, das Gebet ist ein vertrautes Gespräch mit Gott, aber wenn wir mit anderen zusammen beten, sollten wir nicht so tun, als würde Gott nur uns zuhören. Natürlich haben wir das Recht, wie Hanna still in unseren Herzen zu beten (siehe 1Sam 1,9-18), aber wenn wir laut zusammen in einer Gruppe beten, sollten wir doch so beten, dass andere uns hören und mitbeten können. Das, was Paulus über das Zungenreden sagte, gilt gewiss auch für das öffentliche Gebet: Wenn andere Menschen uns nicht verstehen, können sie auch keinen Segen empfangen (siehe 1Kor 14,1-5). Das

WENN ANDERE MENSCHEN UNS NICHT VERSTEHEN, KÖNNEN SIE AUCH KEINEN SEGEN EMPFANGEN (SIEHE 1KOR 14,1-5).

bedeutet nicht, dass wir zum Herrn beten und dabei eigentlich zu unseren Zuhörer sprechen. Ich muss gestehen, dass ich schon ähnliche Gebete wie das folgende gehört habe: „Herr, hilf, dass der Pastor am nächsten Sonntag besser vorbereitet ist.“ Letztendlich geht es darum, dass wir so beten, dass die anderen uns hören können und dass wir unsere Gemeinschaft stärken, indem wir miteinander und füreinander beten.

Als Kind sangen wir in der Sonntagschule hin und wieder ein Lied, das ich bestimmt schon einige Jahrzehnte nicht mehr gehört habe:

Whisper a prayer in the morning,
Whisper a prayer at noon,
Whisper a prayer in the evening,
To keep your heart in tune.

Bete still zu Gott früh am Morgen,
bete still am Mittag zu ihm,
bete still auch am Abend,
im Beten, da liebe ihn.
(freie Übersetzung)

Ich rate ebenfalls dazu, morgens, mittags und abends zu beten, denn das ist biblisch. Daniel tat es (siehe Dan 6,11), und David ebenso (siehe Ps 55,18). Aber warum flüstern? Wenn wir mit Gott allein sind, dürfen wir laut mit ihm sprechen; sind wir aber von Fremden im Bus oder Wartezimmer umgeben, dürfen wir mit Gott auch in unseren Herzen sprechen; er wird uns hören. Schließlich wollen wir keine Pharisäer sein, die an den Häuserecken stehen und demonstrativ beteten (siehe Mt 6,5), und auch keine Totenbeschwörer und Wahrsager, „die da flüstern und murmeln“ (Jes 8,19). Das Volk, das in Jesaja 26,16 erwähnt wird, flüsterte, weil es zu schwach zum Rufen war.[7]

Als D. L. Moody im Jahr 1873 in Großbritannien predigte, druckte die beliebte Zeitschrift *The Christian* einen von ihm verfassten Artikel über die Leitung einer erfolgreichen Gebetsgemeinschaft. Moody ließ diesen Artikel an alle evangelischen Pfarrer und Pastoren auf den britischen Inseln verteilen, welcher sehr gern angenommen wurde. Im Folgenden eine Zusammenfassung:

> *Lass die Menschen eng beieinandersitzen; sorge für frische Luft; sorge für lebhaftes Singen; konkretisiere die Gebetsanliegen; der Prediger soll seine Ankündigungen kurz halten; nenne Anliegen gleich zu Beginn; äußere dich nicht negativ bei den Anwesenden über diejenigen, die nicht kommen; behalte deine Enttäuschungen für dich und sage sie nur Gott; lass Lieder und Gebete sich abwechseln, sodass nur zwei Gebete aufeinanderfolgen; mache höfliche, pointierte Bemerkungen und sorge für ein kurzes Treffen; sorge dafür, dass sich alle beteiligen, wenn notwendig, sprich sie vorher persönlich an; vermeide Auseinandersetzungen; sei pünktlich – und das Allerwichtigste: Lass dich vom Geist leiten (*They Called Him Mr. Moody *von Richard K. Curtis, S. 181).*

7 Die nicht revidierte Elberfelder übersetzt: „... flehten sie mit flüsterndem Gebet“, revidiert jedoch „... schrien sie“. Die Stelle ist nicht eindeutig (Anm. d. dt. Hg.).

Gern würde ich noch etwas hinzufügen: Sprich etwas lauter beim Beten, sodass alle daran Anteil haben können!

9

„Bleibe nicht im Gebetskampf stecken, glaube einfach!"

Mein lieber Freund Dr. Howard Sugden[8] und ich waren zusammen mit einem dritten Redner bei einer Sommer-Bibelkonferenz eingeladen. Offensichtlich war der dritte Referent nicht sehr glücklich über unsere Anwesenheit. Möglicherweise fühlte er sich von der Statur oder der Beliebtheit von Dr. Sugden bedroht, vielleicht war es auch einfach nicht sein Tag. Das kennt jeder. Auf alle Fälle hatte er beschlossen, den Ausdruck „Gebetskampf", den einer von uns gebraucht hatte, zu hinterfragen: „Beten ist doch kein Ringkampf mit Gott!", meinte er heftig. „Gebet ist eine wunderbare Möglichkeit des Gesprächs mit Gott. Wir glauben, wir bitten und wir empfangen."

Dr. Sugden und ich ließen das kommentarlos stehen, aber ich bin überzeugt, dass auch er an die Bibelstelle in Kolosser 4,12 denken musste:

---

8 1907–1993, Howard Sudgen war über 40 Jahre lang Pastor der South Baptist Church in Lansing, Michigan, USA (Anm. d. dt. Hg.).

Es grüßt euch Epaphras, der von euch ist, ein Knecht Christi Jesu, der allezeit für euch ringt in den Gebeten, damit ihr vollkommen und völlig überzeugt in allem Willen Gottes dasteht.

Das Wort „ringen" wird im Griechischen mit *agonizomai* übersetzt – woraus das englische Wort *agonize* abgeleitet ist – und bedeutet „quälen, ringen, martern und erdulden". Epaphras hatte keine ruhige Konversation mit Gott, sondern er betete wie ein Ringer oder ein Sportler bei den Olympischen Spielen, um eine Goldmedaille zu gewinnen. Auch Paulus rang in seinen Gebeten. Er bat seine Freunde in Rom, mit ihm in ihren Gebeten zu Gott zu kämpfen (*sunagonizomai;* Röm 15,30). Manchmal brauchen wir die Ausdauer und Entschlossenheit eines Athleten, damit unsere Gebete Gottes Willen erreichen.

Damit will ich nicht sagen, dass wir Gottes Willen durch unser persönliches Abmühen und unsere Anstrengungen beugen könnten; aber es ist ebenso wenig ein Kennzeichen tiefer Geistlichkeit, wenn wir kalt und teilnahmslos für andere im Gebet eintreten. Jonathan Edwards schrieb über David Brainard:

Sein Leben ist Beweis für erfolgreiches Wirken im Dienst. Er strebte danach wie ein entschlossener Soldat, der den Sieg in der Schlacht oder dem Kampf erringen will; oder wie ein Mann, der im Rennen einen großen Preis gewinnen will. Er war von seiner Liebe zu Christus und den verlorenen Seelen angetrieben und arbeitete eifrig – nicht nur in

Wort und Lehre, privat und öffentlich, sondern er betete auch Tag und Nacht. Heimlich „rang er mit Gott" und „lag in den Wehen" mit unaussprechlichem Stöhnen und Seufzen ... wie ein wahrer Sohn Jakobs kämpfte er die ganze Nacht hindurch bis zum Morgengrauen.

Charles Spurgeon zitierte diese Worte in seinem Buch *The Preacher's Private Prayer*, das den Studenten an seinen Hochschulen gegeben wurde. Aber ich denke, diese Aussage gilt jedem Christen, nicht nur den Pastoren und Predigern. (Daher empfehle ich dieses Buch allen Gläubigen.) Obwohl einige Bibelausleger richtigerweise sagen, dass Jakobs Ringen mit Gott in 1. Mose 32,23-32 kein Gebet, sondern eher ein geistiger Wettstreit war – wäre es nicht wunderbar, wenn wir wie Jakob sagen könnten: „Ich lasse dich nicht los, es sei denn, du hast mich vorher gesegnet" (1Mo 32,27)?

WÄRE ES NICHT WUNDERBAR, WENN WIR WIE JAKOB SAGEN KÖNNTEN: „ICH LASSE DICH NICHT LOS, ES SEI DENN, DU HAST MICH VORHER GESEGNET" (1MO 32,27)?

Brauchst du noch weitere Beweise dafür, dass Beten auch Ringen bedeuten kann? Dann nimm zum Beispiel den Herrn Jesus Christus: „Der hat in den Tagen seines Fleisches sowohl Bitten als auch Flehen mit starkem Geschrei und Tränen dem dargebracht, der ihn aus dem Tod retten kann, und ist um seiner Gottesfurcht willen erhört worden" (Hebr 5,7).

Der Ausdruck „Ringen mit Gott" muss wie jede Metapher mit den Augen des Herzens gesehen werden. Der gesegnete Befürworter des Gebets, E.M. Bounds, drückt es folgendermaßen aus:

Die höchste und effektivste Form des Gebets geschieht am besten in einer ringenden Haltung vor Gott. Es ist ein Wettkampf und Glaubenssieg, nicht der Sieg vor einem Feind, sondern vor dem, der unseren Glauben versucht, unser Verlangen zu vergrößern und zu steigern.

Die Bibel ist unerschöpflich uns zu zeigen, dass das höchste geistliche Gut durch die höchste Form der geistlichen Bemühungen erlangt wird. Gnade ist es, eine Gnade, die belohnt und entschädigt. Hier gibt es keinen Raum für klägliche Sehnsüchte, endlose Anstrengungen oder faule Kompromisse. Alles muss inbrünstig, energisch und aufmerksam geschehen.

Prayer and Revival, S. 47–48

Selbstverständlich ist der Heilige Geist die Antriebskraft zum „Ringen im Gebet". A. W. Tozer drückt das folgendermaßen aus: „Wenn das Gebet aus dem Heiligen Geist entspringt, kann das Ringen schön und wunderbar sein. Wenn wir aber Opfer unserer eigenen überhitzten Begierden sind, können unsere Gebete ebenso fleischlich sein, wie jede andere Tat" (*This World: Playground or Battleground?*, S. 16). Es ist gefährlich, fremdes Feuer zum Altar des Herrn zu bringen. Deshalb mussten Nadab und Abihu sterben (siehe 3Mo 10).

Die dritte Strophe des Gedichts *Ringender Jakob* von Charles Wesley drückt es treffend aus:

My prayer hath power with God; the grace
Unspeakable I now receive,
Though faith I see thee face to face,

I see thee face to face, and live;
In vain I have not wept, and strove,
Thy nature and thy name is Love.

Durch Gott hat mein Gebet Kraft;
Gnade Unaussprechlich, was ich nun empfange.
Durch Glauben sehe ich dich von Angesicht zu Angesicht.
Ich sehe dein Angesicht und lebe.
Ich habe nicht vergeblich getrauert und mich bemüht – Dein Wesen, dein Name ist Liebe.
(frei übersetzt)

In der Bibel finden wir viele Arten des Gebets. Wir können vor den Thron der Gnade kommen und dort unterschiedliche Erfahrungen machen. Das Gebet im jüdischen Heiligtum wurde durch das Verbrennen des Räucherwerks auf dem goldenen Altar vor dem Vorhang symbolisiert (siehe Lk 1,8-9; Offb 5,8). David konnte in der Wüste nicht zum Heiligtum gehen und bat deshalb Gott, seine zum Himmel erhobenen Hände als Rauchopfer anzusehen (siehe Ps 141,1-2; 1Tim 2,8). Daniel betete am offenen Fenster gegen Jerusalem hin (siehe Dan 6,10; 1Kön 8,46-51); Jesus dagegen wies seine Jünger an, die Türen zu schließen, wenn sie beteten (siehe Mt 6,5-6). Abraham unterhielt sich mit dem Herrn, der ihm seine Absichten mitteilte (siehe 1Mo 18,16-33); Hiskia wiederum drehte sein Gesicht zur Wand und bat Gott inständig, ihn am Leben zu lassen (siehe Jes 38,1-3). Im Garten Gethsemane musste ein Engel Jesus stärken, denn in dessen Angst wurde „sein Schweiß wie große Blutstropfen, die auf die Erde herabfielen“ (Lk 22,44).

Wie auch immer unsere Gebetshaltung und -praxis aussehen mag – solange sie nicht unbiblisch ist, sollten wir darauf Wert legen, dass wir leidenschaftlich beten. „Das Gebet eines Gerechten ist wirksam und vermag viel“ (Jak 5,16; NeÜ). Um noch einmal E. M. Bounds zu zitieren: „Wenn Gebet wirksam sein soll, muss es lebendig sein. Es muss Leben haben. Wir sollten alle Energie aufwenden, um die Notwendigkeit, das Sehnen danach und den Glauben in unserer Seele anzufachen“ (a. a. O., S. 49).

Wenn schon der Heilige Geist uns in unseren Gebeten mit „unaussprechlichen Seufzern“ unterstützt (Röm 8,26), dann dürfen auch wir hin und wieder einmal seufzen.

10.

„Für meine Feinde beten? Machst du Witze?“

Für seine Feinde zu beten, ist wahrlich kein Scherz; aber genau das war es, was Jesus seinen Jüngern aufgetragen hatte. Und das, was er *ihnen* gesagt hat, gilt auch *uns* heute gleichermaßen: „Ihr habt gehört, dass gesagt ist: Du sollst deinen Nächsten lieben und deinen Feind hassen. Ich aber sage euch: Liebt eure Feinde, und betet für die, die euch verfolgen, damit ihr Söhne eures Vaters seid, der in den Himmeln ist! Denn er lässt seine Sonne aufgehen über Böse und Gute und lässt regnen über Gerechte und Ungerechte“ (Mt 5,43-45). Anlässlich einer anderen Begebenheit schreibt Lukas: „Aber euch, die ihr hört, sage ich: Liebt eure Feinde; tut wohl denen, die euch hassen; segnet, die euch fluchen; betet für die, die euch beleidigen!“ (Lk 6,27-28). Welche Herausforderung!

Christen sollen sich nicht bewusst Feinde *machen;* wenn wir aber Jesus nachfolgen, *werden* wir Feinde *haben.* Meist sind es sogar vermeintlich „fromme Leute“ – die Art von Menschen, die Jesus ans Kreuz gebracht haben. Einige werden uns hassen, andere werden uns hassen und fluchen, und wieder andere werden uns hassen, fluchen *und* bewusst misshandeln. Die Welt (d. h. die Gesellschaft ohne Gott) behandelte Jesus gleichermaßen, und daher sollte es nicht verwunderlich sein, wenn sie uns – wenn wir ihm immer ähnlicher werden – ebenfalls so behandelt. Wenn du dich in der Welt wohlfühlen möchtest, wirst du nicht gleichzeitig mit Jesus eins sein können (siehe Röm 12,1-2).

Zwar erkennt man „Jesus, als den Lehrer" oder „Jesus, als den einfachen Zimmermann" an, aber letztendlich hasst die Welt Jesus Christus – sowie die Menschen, die wie er leben wollen. Über „Gott" kann man bei öffentlichen Feierlichkeiten ja noch sprechen, aber Jesus erwähnen oder ihn gar als „den Herrn" bezeichnen, würde kaum einer wagen – es sei denn, er möchte als politisch unkorrekt gelten. „Aber dies alles werden sie euch tun um meines Namens willen", sagte Jesus (Joh 15,21); doch ebendieses Verhalten kann für andere Menschen zum Weg des Segens werden. „Glückselig seid ihr, wenn sie euch schmähen und verfolgen und alles Böse lügnerisch gegen euch reden werden um meinetwillen. Freut euch und jubelt, denn euer Lohn ist groß in den Himmeln" (Mt 5,11-12). Alles hängt von unserem Glauben und unserer Liebe ab.

Wenn wir eine einseitige Lösung des Problems erhoffen – wir gewinnen, sie verlieren –, wird das die Sache nur noch schlimmer machen, und Gottes Ruf sowie unser Zeugnis können darunter leiden. Wenn wir aber im Glauben eine Lösung suchen, die beiden nützt, indem wir geistlich wachsen und die Feinde zur Buße geleitet werden, wird Gott im Endeffekt verherrlicht. Aber selbst wenn unsere

Feinde unsere Liebe zurückweisen und sich gegen den Herrn auflehnen, *haben wir trotzdem unseren Lohn im Himmel, und der Herr Jesus Christus wird geehrt werden.* Denn schließlich wird es in hundert Jahren völlig irrelevant sein, was Menschen über uns sagen oder denken; aber das, was Gott mit uns tut, wird entscheidend sein.

Was also sollten wir Gott sagen, wenn wir für unsere Feinde beten? Sollen wir ihre Namen in Davids Fluchpsalmen einfügen und Gott bitten, sie zu vernichten? Wie können wir unsere Feinde lieben, ihnen Gutes tun und aufrichtig für sie beten?

Für Christen heißt das, dass sie diese Menschen „lieben" und sie so behandeln, wie der Herr uns behandelt. Wie Gott uns hört, wollen auch wir sie hören. Gott ist freundlich mit uns, deshalb wollen auch wir freundlich mit ihnen sein. Gott gibt uns nicht das, was wir verdienen (Barmherzigkeit), aber er gibt uns das, was wir nicht verdienen (Gnade); darum sollen wir seinem Beispiel folgen. Gott vergibt uns um Jesu Willen, demzufolge sollen wir anderen um Jesu Willen auch vergeben. Gott will für uns das Allerbeste, und deshalb sollten auch wir für die, die uns am schlimmsten behandeln, das Allerbeste erbeten.

MENSCHEN ‚LIEBEN' BEDEUTET, SIE SO ZU BEHANDELN, WIE DER HERR UNS BEHANDELT.

Allerdings ist es nicht möglich, das aus eigener Kraft zu schaffen. Um als Christ so leben und solche Menschen lieben zu können (siehe Röm 5,5), brauchen wir viel Glauben und Liebe, die wir nur durch den Heiligen Geist empfangen.

Möglicherweise waren das Verhalten und das Gebet von Stephanus bei seiner Steinigung ein

Anstoß zur Wende im Leben Saulus' von Tarsus (siehe Apg 7,54-8,1; 22,10). Dies sollte uns ebenfalls ermutigen, wenn Menschen uns mit Worten – oder mit echten Steinen – verletzen. Richten wir unsere Augen auf die himmlische Verheißung und beten wir, dass Gott unsere Feinde segnet und an den Punkt bringt, an dem Gott sie in seiner Güte zur Buße leiten kann (siehe Röm 2,4). Wir beten für ihren Gehorsam, und nicht für ihr Gericht.

Der Herr kann nicht nur Wasser in Wein verwandeln, sondern auch Fluch in Segen. Der böse Prophet Bileam versuchte, Israel zu verfluchen – aber Gott verwandelte sein Fluch in Segen (siehe 3Mo 22–24; Neh 13,2; 5Mo 23,5). In Glauben und Liebe können wir für unsere Feinde beten, denn wir wissen, dass Gott diese Flüche in Segen verwandeln kann – nicht nur in diesem, sondern auch in dem zukünftigen Leben in der Herrlichkeit. Das war das Fazit, zu dem Paulus kam, als er über diese Welt nachdachte: „Denn ich denke, dass die Leiden der jetzigen Zeit nicht ins Gewicht fallen gegenüber der zukünftigen Herrlichkeit, die an uns offenbart werden soll" (Röm 8,18).

Dein ist die Zukunft, wenn du auf der Seite Jesu stehst!

11.

„Wir wollen die Hände falten, die Köpfe neigen, die Augen schließen und beten.“

Diese Aufforderung bietet sich an, wenn man in der Kinderstunde oder beim Essen zu Tisch beten möchte. Kinder, die den Kopf neigen und ihre Augen schließen, werden nicht abgelenkt; und gefaltete Hände können keinen Unfug anstellen. Jedoch finde ich in der Bibel keinerlei Anweisung, dass dies auch für Erwachsene gilt.

Trotz der vielen schönen und inspirierenden Gemälde von „gefalteten Händen“ faltete Gottes Volk nicht die Hände, wenn gebetet wurde. Eher das Gegenteil war der Fall: Sie hoben ihre *geöffneten* Hände zum Himmel, denn sie erwarteten ja etwas von dem Herrn. David betete in Psalm 28,2: „Höre die Stimme meines Flehens, wenn ich zu dir schreie, wenn ich meine Hände aufhebe zu deinem heiligen Tempelraum“; und in Psalm 63,4; 134,2 und 141,2 finden wir ähnliche Aussagen. Auch der gottesfürchtige Schriftgelehrte

Esra betete auf diese Weise (siehe Esr 9,5; Neh 8,6); und Paulus wies die Gläubigen an, es in ihren örtlichen Versammlungen ebenfalls so zu handhaben (siehe 1Tim 2,8). Personen mit gefalteten Händen werden in der Bibel eher als faule Menschen dargestellt, die nur herumsitzen und nichts tun (siehe Spr 6,9-11; 24,30-34; Pred 4,5).

Wir finden in Gottes Wort zwar sehr wohl Menschen, die ihre Köpfe in Ehrerbietung vor dem Herrn neigten, doch geschah das meist nicht im Zusammenhang mit Gebet (siehe 1Mo 24,25; 2Mo 4,31). Üblicherweise erhoben die Menschen aus Gottes Volk die Augen zum Himmel, um zu beten (siehe Ps 123,1) – eine Haltung, die auch Jesus einnahm (siehe Mt 14,19; Joh 11,41; 17,1). Außerdem finden wir die Aufforderung, zu wachen und zu beten – oder, mit offenen Augen zu beten. Das meint: „Bleib wach – sei auf der Hut"; es stammt vermutlich aus Nehemia 4,3: „Da beteten wir zu unserem Gott und stellten eine Wache auf."

Wir sind immer wieder von so viel Druck und Ablenkung umgeben, sodass wir hellwach und alarmbereit in unseren Gebeten sein müssen (siehe Mk 13,32-37). Wir spüren, wie unser Fleisch schwach ist (siehe Mt 26,41; Mk 14,32-38) und wie der Teufel versucht, uns anzugreifen (siehe Eph 6,18). Wachsamkeit ist auch wichtig, um offene Augen für Gelegenheiten zu haben, die uns der Herr schenkt (siehe Kol 4,2). Manche Gebete sind ruhig und entspannt, als würde man wie ein Kind auf dem Schoß der Eltern sitzen; bei den meisten Gebeten müssen wir jedoch wachsam wie ein Soldat sein und auf Befehle warten oder auf dem Kampffeld um Hilfe schreien.

Alle Gläubigen sollten sich darin üben, mit dem Herrn auch dann zu kommunizieren, wenn sich die Welt immer lauter um sie dreht.

Geistliche Leiter im Mittelalter nannten diese Praxis „mentales Gebet“. Dabei schließt du deine Augen und blockierst somit jegliche Ablenkung. Du dankst Gott für seine Barmherzigkeit, denkst über biblische Wahrheiten nach und sprichst dann still mit Gott in deinem Herzen. Das habe ich selbst schon in Wartezimmern, in Krankenhäusern, an Flughäfen, an der Kasse im Supermarkt oder als Gast bei allen möglichen Gelegenheiten getan. Ich muss gestehen, das ist eine wunderbare Möglichkeit, um meine aufgewühlte Seele zur Ruhe zu bringen und mich auf die vor mir liegenden Aufgaben vorzubereiten. Ich nenne diese Momente „Segenspausen“, und sie haben mir und meiner Frau besonders geholfen, wenn wir viel im Dienst unterwegs waren. John Bunyan sagte einmal: „Was das Gebet betrifft, so ist es manchmal besser, ein Herz ohne Worte zu haben, als Worte ohne Herz“, und damit hatte er recht. „Seid stille und erkennet, dass ich Gott bin!“ (Ps 46,11; LUT).

Bislang wurden in diesem und in den vorherigen Kapiteln nur einige Gebetspraktiken betrachtet, die hinderlich sein können, Gottes Bereicherung und Ermutigung zu erfahren, die er denen bereithält, die ernsthaft vor ihn am Thron der Gnade erscheinen möchten.

Nach den Grundlagen wollen wir nun in die „Gebetsschule“ Jesu einsteigen.

Teil II

Die Art und Weise des Gebets

Herr, lehre uns beten!
Lukas 11,1

Lieber lehre ich einen Menschen zu beten,
als zehn zu predigen.
John Henry Jowett

12.

Die Notwendigkeit des Gebets: „Herr, lehre uns beten!"

Wenn du das Vorrecht hättest, den Herrn um eine besondere Gabe zu bitten, welche würdest du erbitten? Um die Gabe, Freundschaften zu schließen, viel Geld zu verdienen, Zeugnis zu geben oder erfolgreich in deinem Beruf voranzukommen?

Unsere Antwort macht deutlich, was uns im Leben wirklich wichtig ist.

Einer der Jünger bat Jesus, sie beten zu lehren. Man kann sagen: Sie wollten sich in eine „Gebetsschule" einschreiben. Auch uns sollte das wichtig sein, denn *wenn wir echtes Beten gelernt haben, wird der Herr all unsere Bedürfnisse erfüllen.*

WENN WIR ECHTES BETEN GELERNT HABEN, WIRD DER HERR ALL UNSERE BEDÜRFNISSE ERFÜLLEN.

Von allen Fertigkeiten, die wir uns vielleicht schon angeeignet haben, wird keine über unserem Gebetsleben stehen. Das, was in unserem Leben das Wesentliche ist, kann nur Gott sehen. Auch unsere bedeutendsten Worte, die wir sagen, sind die, die wir im Gebet zu Gott sprechen. George MacDonald sagte einmal: „In allem, was ein Mensch ohne Gott tut, wird er entweder fürchterlich versagen oder unglücklich erfolgreich sein." Versagen ist besser als Erfolg, der ins Unglück führt. Schaffen wir es jedoch, die grundlegenden Dinge in der Schule des Gebets zu begreifen und umzusetzen, brauchen wir uns darum keine Gedanken mehr zu machen.

In unserer „Gebetsschule" gibt es vier Stufen, und in jeder Stufe finden wir eine wichtige Lektion, die wir lernen sollten. Damit wollen wir uns in den folgenden Kapiteln beschäftigen.

Stufe 1: „Wir müssen beten"

Und es geschah, als er an einem Ort war und betete, da sprach, als er aufhörte, einer seiner Jünger zu ihm: „Herr, lehre uns beten, wie auch Johannes seine Jünger lehrte!"

Lukas 11,1

Ein erfülltes Gebetsleben ist nicht das Privileg einer Elite; sondern es ist eine absolute Notwendigkeit für alle, die ihr Leben Jesus Christus anvertraut haben. *Wir müssen beten.*

Ebenso wie Isaak war auch Johannes der Täufer ein „Wunder-Kind", dessen Eltern eigentlich zu alt waren, um ein Kind zu bekommen. Vom Mutterleib an war er mit dem Heiligen Geist erfüllt. Durch ihn erfüllte sich die alttestamentliche Prophezeiung. Jesus nannte ihn den größten aller Propheten. Johannes hatte das Vorrecht, dem Volk Israel Jesus anzukündigen und die Menschen in Israel auf sein Kommen vorzubereiten (siehe Lk 1,5-25; 7,18-28).

Er war sehr privilegiert, *und dennoch musste auch Johannes der Täufer beten! Und er lehrte seine Jünger ebenfalls beten!*

Jesu Jünger waren privilegiert, weil sie von ihm selbst auserwählt wurden. Sie lebten mit ihm und lernten von ihm; sie bekamen von ihm sogar die Macht, Wunder zu vollbringen. *Und trotzdem wollten sie lernen, wie man effektiv beten kann!*

Unser Herr selbst war Gott in sündloser Menschengestalt. Er konnte Kranke heilen und sogar Tote zum Leben erwecken; der Heilige Geist stand ihm unbegrenzt zur Verfügung (siehe Joh 3,34). Es gab keine Situation, der er nicht gewachsen war oder mit der er nicht hätte umgehen können; es gab auch keine Nöte, die er nicht hätte lindern können, *und trotzdem musste auch er beten!* In allen vier Evangelien lesen wir, dass Jesus nicht nur lehrte, wie man betet, sondern auch, dass er selbst ein Mann des Gebets war. Wenn schon der vollkommene Sohn Gottes, der auf dieser Erde lebte und diente, beten musste, was heißt das dann für uns? *Dass wir beten müssen!*

Wir können diese Stufe nicht überspringen: Wir müssen beten.

13.

Das Vaterunser: Gebet nach Gottes Willen

Stufe 2: „Wir müssen um Gottes Willen beten!“

Er sprach aber zu ihnen: Wenn ihr betet, so sprecht:
Vater, geheiligt werde dein Name;
dein Reich komme;
unser nötiges Brot gib uns täglich;
und vergib uns unsere Sünden, denn auch wir
selbst vergeben jedem, der uns schuldig ist;
und führe uns nicht in Versuchung.

Lukas 11,2-4

„Wenn ihr betet“ (Lk 11,2) setzt voraus, dass Jesus von seinen Jüngern erwartete, dass sie beteten, denn sonst hätte er gesagt: „Falls ihr betet …“. Dieses Gebet, allgemein bekannt als das „Vaterunser“, dürfen wir als „Vorlage“ für unser persönliches oder gemeinsames Gebet ansehen. Die Urgemeinde betete es in ihrem normalen Gottesdienst, und wir dürfen es als Muster für unsere Gebete nehmen, damit wir im Willen Gottes beten können.

Die meisten von uns kennen wahrscheinlich die Version von Jesu Gebet aus Matthäus 6,9-13:

Unser Vater, der du bist in den Himmeln,
geheiligt werde dein Name;
dein Reich komme; dein Wille geschehe,
wie im Himmel, so auch auf Erden!
Unser tägliches Brot gib uns heute;
und vergib uns unsere Schulden,
wie auch wir unseren Schuldnern vergeben haben;
und führe uns nicht in Versuchung,
sondern rette uns von dem Bösen!

Beziehungen

Jesus beginnt in seinem „Gebetsmodell" mit *Beziehungen* – „unser Vater". Das Wort „unser" meint alle Gotteskinder; man könnte sagen, es ist ein Familiengebet, das alle Kinder Gottes beten können. Alle Personalpronomen stehen im Plural und beziehen sich auf die Betenden: „*unser* Vater", „gib *uns*", „vergib *uns*", „*wir* vergeben", „führe *uns*", „erlöse *uns*". Diese Tatsache hat bedeutende Auswirkungen.

Die erste Tatsache, die wir uns bewusst machen müssen, ist: Immer dann, wenn wir beten – auch allein – *sind wir Teil einer weltweiten Familie, die mit uns zum Vater betet.* Der Fokus unserer Gebete *muss* global sein, sie müssen über uns und unsere Bedürfnisse, unseren Freundes- und Verwandtenkreis hinausgehen. Der Apostel Johannes erwähnte *„die Gebete der Heiligen"*, d. h. der Ältesten, und nicht nur die Gebete *eines* Heiligen (siehe Offb 5,8).

Natürlich haben wir das Vorrecht, für unsere Anliegen und die unserer Lieben zu beten, jedoch sollten unsere Gebete nicht hier enden.

Weiter erinnern uns diese Pronomen daran, dass wir nicht um etwas bitten sollen, was anderen schaden oder sie ausklammern könnte. Eines Tages fragte ich einen Pastor, ob er jemals auch öffentlich für andere Gemeinden in seiner Stadt betete. „Nein," antwortete er mit einem Lächeln, „denn meine Gemeinde glaubt, sie wäre die *einzige* in dieser Stadt." Dann aber begann er, sonntags systematisch für andere Pastoren und Gemeinden sowie für weitere Missionsgesellschaften in anderen Ländern zu beten. Dadurch wurde der Gebetshorizont der gesamten Gemeinde ungemein erweitert, weil sie dadurch auch für ihre Mitgeschwister offener wurde.

Weiterhin erkennen wir an dieser Formulierung, dass wir nicht einerseits ein gestörtes Verhältnis zu Brüdern und Schwestern haben können und gleichzeitig andererseits erwarten, dass Gott unsere Gebete hört und erhört. Jesus selbst stellt klar, dass Versöhnung zwischen einem Bruder oder einer Schwester wichtiger ist, als dem Herrn Opfer zu bringen (siehe Mt 5,21-26). Wir können Gottes Vergebung erst dann empfangen, wenn wir anderen vergeben haben (siehe Kap. 6,14-15).

Natürlich erinnert uns das Wort *Vater* an die andere Seite der Beziehungsebene – des Verhältnisses zu unserem himmlischen Vater, der zur Verherrlichung seines Sohnes unsere Bitte so gern erhören möchte. Erst wenn ich mein Vertrauen auf Jesus Christus setze und ein Kind Gottes geworden bin, habe ich das Recht, Gott meinen „Vater" zu nennen und ihm meine Anliegen vorzubringen.

Um effektiv beten zu können, muss meine Beziehung zu Gott und zu meinen Mitmenschen geklärt sein. „Hätte ich Böses im Sinn gehabt, dann hätte der Herr nicht gehört." (Ps 66,18; NeÜ).

Verantwortungen

Nachdem wir uns nun mit *Beziehungen* beschäftigt haben, kommen wir jetzt zu unseren *Verantwortungen* (siehe Mt 6,9-10): Gottes Namen ehren, Gottes Reich fördern, Gottes Willen gehorchen.

Zu viele von uns beten wie der verlorene Sohn: „Vater, gib mir!" A. W. Tozer schrieb einmal: „Gebete unter evangelikalen Christen stehen immer in der Gefahr, in einen verklärten Goldrausch auszuarten" (*The Set of the Sail,* S. 14). Gott erhört Gebete, damit sein Name verherrlicht wird, d. h., damit er einen „guten Ruf" in einer Welt hat, die kaum Notiz von ihm nimmt. Bevor wir unserem Vater unsere Anliegen kundtun, müssen wir uns selbst im Licht unserer Verantwortung vor unserem Vater prüfen und fragen: *Wird Gottes Namen verherrlicht, sein Reich gefördert und sein Willen auf dieser Erde erfüllt, wenn er mein Gebet erhört? Oder sind meine Bitten egoistisch?*

Für unerrettete Menschen ist es ein Mysterium, wenn Menschen im Glauben leben und sich aufs Beten verlassen. Einige Gebetserhörungen mag man vielleicht noch dem Zufall zuschreiben, aber wenn Schlag auf Schlag Gebete erhört werden, müssen die Leute das einfach zur Kenntnis nehmen. Dadurch wird Gott verherrlicht.

Unsere Gebete werden frei von unserem selbstsüchtigen Denken, wenn wir beten, dass Gottes Namen verherrlicht werde. Wenn wir beten, dass sein Reich komme und sein Wille geschehe, werden wir Diener sein, die seinen Willen tun und nicht dem Herrn sagen wollen, was er zu tun hat. Wir werden alles daran setzen, das zu tun, was er will, und wir werden wie Jesus beten: „Doch nicht mein Wille, sondern der deine geschehe!" (Lk 22,42). Unsere religiöse „Wunschliste" wird sich drastisch reduzieren, wenn wir unserer Verantwortung auf diese Weise gerecht werden.

Bitten

Die drei Bitten in Jesu Gebet beziehen sich auf unsere gegenwärtigen Bedürfnisse (siehe Mt 6,11), auf unser vergangenes Versagen (siehe Vers 12) sowie auf unsere zukünftigen Entscheidungen (siehe Vers 13). Der Ausdruck „tägliches Brot" meint viel mehr als nur Nahrung (sicherlich ein Grundbedürfnis); er beinhaltet all das, was wir brauchen, um Gott täglich dienen zu können. Jemand sagte einmal, dass die meisten Menschen zwischen zwei Räubern gekreuzigt werden – dem Bedauern des Gestern und dem Sorgen um das Morgen –, deshalb sind sie unfähig, den Segen des heutigen Tages zu genießen. Der Herr vergibt seinen Kindern die vergangenen Sünden, er versorgt ihre augenblicklichen Bedürfnisse (nicht ihre Gier) und leitet sie in zukünftigen Entscheidungen und Umständen. Warum also sollten wir uns Sorgen machen (siehe Mt 6,25-34)?

14.

Eindringliches und vertrauendes Beten: Gottes Motive erkennen

Stufe 3: „Wir müssen wie Kinder beten, die zu ihrem großzügigen Vater gehen und ihn um etwas bitten."

Und er sprach zu ihnen: Wer von euch wird einen Freund haben und wird um Mitternacht zu ihm gehen und zu ihm sagen: Freund, leihe mir drei Brote, da mein Freund von der Reise bei mir angekommen ist und ich nichts habe, was ich ihm vorsetzen soll!

Und jener würde von innen antworten und sagen: Mach mir keine Mühe! Die Tür ist schon geschlossen, und meine Kinder sind bei mir im Bett; ich kann nicht aufstehen und dir geben? Ich sage euch, wenn er auch nicht aufstehen und ihm geben wird, weil er sein Freund ist, so wird er wenigstens um seiner Unverschämtheit willen aufstehen und ihm geben, so viel er braucht. Und ich sage euch: Bittet, und es wird euch gegeben werden; sucht, und ihr werdet finden;

klopft an, und es wird euch geöffnet werden! Denn jeder Bittende empfängt, und der Suchende findet, und dem Anklopfenden wird geöffnet werden.

Wen von euch, der Vater ist, wird der Sohn um einen Fisch bitten - und wird er ihm statt des Fisches etwa eine Schlange geben? Oder auch, wenn er um ein Ei bäte - er wird ihm doch nicht einen Skorpion geben?"

Lukas 11,5-12

Die gängige Auslegung dieses Gleichnisses ist, dass wir hartnäckig genug beten und an die Tür klopfen müssen, bis Gott aufwacht und beschließt, uns das zu geben, worum wir ihn bitten. Aber im Gebet geht es nicht um Freundschaft oder Nachbarschaftshilfe, sondern um Familienbeziehungen als Söhne und Töchter Gottes. In diesem Gleichnis wird der Vater nicht mit einem mürrischen Nachbarn *verglichen;* der Vater ist *vollkommen anders.*

Unser Herr will damit sagen: „Wenn schon ein müder Nachbar, der seine Kinder endlich zum Schlafen gebracht hat, sofort aus dem Bett aufsteht und seinem Nachbarn das gibt, war er braucht, wie *viel mehr wird ein liebender himmlischer Vater die Bedürfnisse seiner eigenen geliebten Kinder erfüllen?"*

Im Gleichnis der Witwe aus Lukas 18,1-8 finden wir denselben Ansatz. Wenn schon ein egoistischer und korrupter Richter einer armen Witwe endlich zu ihrem Recht verhilft, wie viel mehr wird ein liebender Vater uns helfen, wenn wir ihn um Hilfe bitten? Unser himmlischer Vater schläft und schlummert niemals, und sein liebendes Herz achtet immer auf unsere Not und unser Schreien:

„Indem ihr alle eure Sorge auf ihn werft! Denn er ist besorgt für euch" (1Petr 5,7).

In manchen Übersetzungen finden wir in Lukas 11,8 das Wort „beharrlich". Eigentlich bedeutet es „Unverschämtheit" und bezieht sich auf das Anliegen des Nachbarn, der um seinen guten Ruf in der Stadt fürchtet. Sollte er nämlich die Bitte eines Gastes um Nahrung nicht erfüllen, würde er gegen das Grundgesetz im Osten verstoßen – dem der Gastfreundschaft. Er würde sein Gesicht vor seinen Freunden und Verwandten verlieren.

In der Bibelübersetzung *Neues Leben. Die Bibel* steht: „Er wird doch am Ende aufstehen und euch geben, was ihr braucht, um seinem guten Ruf nicht zu schaden …"

Das erinnert uns an Matthäus 6,9, wo es heißt: „Geheiligt werde dein Name." *Gott erhört unsere Bitten, damit sein Name verherrlicht werde.* Und er *leiht* uns nicht das, was wir brauchen, und erwartet dann, dass wir es ihm zurückgeben. Er gibt uns immer und immer wieder wie ein liebender und großzügiger Vater. Bitten wir ihn allerdings um etwas, was nicht seinem Willen entspricht, wird er uns nicht geben, was wir wollen, sondern was wir brauchen, was viel besser für uns ist.

DER VATER GIBT IMMER DENEN DAS BESTE, DIE IHM DIE WAHL DAZU ÜBERLASSEN.

Jedoch lernen wir aus dem Gleichnis noch etwas anderes: Bete nicht nur dann, wenn du mitten in der Not steckst, sondern bitte den Vater auch fortwährend, deinen täglichen Bedarf zu stillen – „Unser tägliches Brot gib uns heute" (siehe Mt 6,3). Und noch etwas fällt auf: Die Verben in Lukas 11,8 stehen im Imperativ, d. h. in der Befehlsform: „Bittet, und es wird euch gegeben werden; sucht, und ihr werdet finden; klopft an, und es wird euch geöffnet werden." „Bitten" verweist auf den Reichtum des Vaters, „suchen" auf seinen Willen und „anklopfen" auf Gottes Wirken. (In der Bibel bedeuten offene Türen oftmals eine Gelegenheit zum Dienen; siehe Apg 14,27; 1Kor 16,9; 2Kor 2,12; Kol 4,3; Offb 3,8). Wenn wir dem Willen des Vaters gehorchen und ihn erfüllen, haben wir jeden erdenklichen Anspruch auf seinen Reichtum. Der verlorene Sohn wollte den Reichtum seines Vaters, aber nicht dessen Willen oder dessen Arbeit (siehe Lk 15,11-13).

Unser Gebet belästigt Gott nicht, wir feilschen auch nicht mit Gott, leihen uns nichts von ihm aus und belasten ihn auch nicht. Wenn wir wahrhaftig beten, preisen wir damit den Vater, weil wir ihn lieben, ihm vertrauen und wissen, dass er uns das gibt, was wir brauchen – deshalb gehen wir zu ihm hin und bitten ihn. Unsere Liebe in unseren Herzen erwidert seine Liebe, die in seinem Herz ist; wir wissen, dass er uns genau das gibt, was wir brauchen. Wir müssen uns auch nicht vor seinen Antworten auf unsere Gebete fürchten, denn diese kommen aus einem liebenden Vaterherzen.

Wenn wir ihn um ein Brot oder ein Ei bitten, gibt er uns keine Schlange und auch keinen Skorpion. Der Vater gibt immer denen das Beste, die ihm die Wahl dazu überlassen. Allerdings haben wir folgendes Problem: Wir sind geneigt, ihn um „Schlangen" zu bitten, von denen wir meinen, dass sie „Brot" sind, oder wir beten um „Skorpione", von denen wir glauben, dass sie „Eier" sind. Es ist ein Zeichen der Reife, wenn du nach langer Zeit dankbar für unerhörte Gebete sein kannst.

15.

Beten verändert den Charakter: Über den Heiligen Geist

Stufe 4: „Wir müssen um die guten Gaben des Heiligen Geistes bitten"

Wenn nun ihr, die ihr böse seid, euren Kindern gute Gaben zu geben wisst, wie viel mehr wird der Vater im Himmel den Heiligen Geist geben denen, die ihn bitten!

Lukas 11,13

Matthäus' Version lautet „gute Gaben geben" (Mt 7,11), sodass man sagen könnte: „Gib die guten Gaben des Heiligen Geistes weiter." Gottes Willen ist es also, den Vater darum zu bitten, die materiellen und physischen Bedürfnisse von uns und unseren Mitmenschen zu stillen; aber das ist noch nicht genug. Als der verlorene Sohn seine Sünden bereute und nach Hause zurückkehrte, war es nicht seine Absicht, zu bitten: „Vater, gib mir!", sondern „Vater, mache mich!" (siehe Lk 15,19). Er wollte sich in seinem Wesen verändern und dienen – Besitz und Vergnügen waren ihm nicht mehr wichtig.

Ich möchte dir empfehlen, dich in deiner Stillen Zeit mit den Briefen zu beschäftigen, die Paulus während seiner Gefängniszeit geschrieben hat: Epheser 1,15-23; 3,14-21; Philipper 1,9-11 und Kolosser 1,9-12. Beachte, welche Charaktereigenschaften, die der Heilige Geist hervorbringt, Paulus den Geschwistern dieser Gemeinden vorstellt. Gott möchte, dass seine Kinder einen festen Charakter entwickeln und Jesus Christus ähnlicher werden, indem sie die guten Gaben des Geistes empfangen. Die meisten, wenn nicht sogar alle Schwierigkeiten in Familien und Gemeinden würden sich auflösen, wenn Christen anfingen, um diese Gaben zu beten und darin zu leben. Gottes Ziel mit uns ist es, „dem Bild seine Sohnes gleichförmig zu werden" (Röm 8,29; siehe 2Kor 3,18). Wenn wir den von Paulus beschriebenen Eigenschaften nacheifern, werden wir auch dorthin gelangen.

DER VATER SEHNT SICH DANACH, DASS ALLE SEINE KINDER SEINEM GELIEBTEN SOHN IMMER ÄHNLICHER WERDEN.

Dazu ist es notwendig, dass wir uns mit der neunfachen „Frucht des Geistes" beschäftigen (Gal 5,22-23) und darum beten, dass Gott diese wunderbaren Eigenschaften in unserem Leben durch seinen Heiligen Geist hervorbringt. Wenn wir in den Evangelien über das Leben unseres Herrn Jesus Christus und seinen Dienst hier auf der Erde lesen, sollten wir dafür beten, dass seine wunderbaren Charakterzüge und sein Verhalten in uns ebenso sichtbar werden. Sinn und

Zweck eines geistlichen Lebens ist nicht, uns zu großartigen Christen – wie auch immer das aussehen mag – zu machen, sondern unseren großen Retter zu verherrlichen, indem wir ihn in unserem Charakter und Verhalten widerspiegeln. Der Vater sehnt sich danach, dass alle seine Kinder seinem geliebten Sohn immer ähnlicher werden. Darum sollen wir auch genau danach streben und den Vater um die guten Gaben seines Heiligen Geistes bitten.

Wenn du diesen wichtigen Abschnitt über das Gebet in Lukas 11,13 überdenkst, wirst du sicherlich feststellen, dass Jesus einige falsche Vorstellungen von Menschen bezüglich des Gebets korrigiert:

» Gebet ist kein Luxus, sondern eine Notwendigkeit. Wir *müssen* beten.
» Gebet bedeutet nicht, einen mürrischen Freund zu belästigen, sondern einem liebevollen und geduldigen, himmlischen Vater zu nahen, der niemals schläft.
» Gebet meint nicht, sich etwas von einem Nachbarn auszuleihen, sondern Geschenke von unserem Vater zu empfangen. Alles aus Gnade.
» Gebet ist nicht einfach nur zu unserem Vorteil. Es dient vorrangig zur Verherrlichung Gottes.
» Gebet sollte nicht nur in Notsituationen geschehen, sondern auch im tagtäglichen Leben eingesetzt werden. „Betet unablässig (ohne nachzulassen)!“ (1Thes 5,17). Bitte, suche und klopfe weiter im Glauben an!

- Du musst dich nicht vor Gottes Antworten fürchten. Er wird dir niemals eine „Schlange" geben, wenn du Hunger nach „Brot" hast.
- Gebet heißt, um den größten Segen durch den Geist zu bitten, nicht nur um materielle Bedürfnisse. Beides ist wichtig.

Hast du dich schon in der „Gebetsschule" eingeschrieben?

Teil III

Gottes Antwort auf unsere Gebete

*Auf manche Gebete folgt Schweigen, weil
sie falsch sind, und auf andere, weil sie größer sind,
als wir es uns vorstellen können.*
Oswald Chambers

*Manchmal überkommt mich ein Zittern,
wenn Menschen Gottes Verheißungen zitieren
und sagen, dass Gott sie angeblich erfüllen wird.
Und das, obwohl beständig Sünde in ihrem Leben
zu finden ist, die sie einfach nicht aufgeben wollen.*
Dwight L. Moody

*Bete ausdauernd, aber sei dankbar, dass Gottes
Antworten weiser sind als deine Gebete.*
William Culbertson

16.

Deine Beziehung zu Gott

Der Philosoph und Hafenarbeiter Eric Hoffer schreibt in seinem Buch *Working and Thinking on the Waterfront:* „Plötzlich wurde mir eines Morgens bewusst, dass ich bis dahin in meinem ganzen Leben noch nie gebetet hatte“ (S. 118). Als ich diese Aussage las, dachte ich darüber nach, ein Buch mit dem Titel *Ein Leben ohne Gebet* zu schreiben. Dann aber wurde mir bewusst, dass ich nichts Positives über ein gebetsloses Leben schreiben könnte, und ich beschloss, diesen Gedanken nicht weiter zu verfolgen.

Es geht einfach nicht: Gotteskinder können ihr Leben nicht ohne Gebet meistern, und dennoch versuchen sie es immer wieder. „Ihr habt nichts, weil ihr nicht bittet“, warnt Jakobus in Kapitel 4,2; hier geht es um Menschen, die nicht beten und gar nicht wissen, was sie dadurch versäumen. Das Gebet ist ein so kostbares und ein unersetzliches Privileg, das wir es nicht wagen sollten, es zu ignorieren oder zu missbrauchen. Solange wir hier auf dieser Erde sind, kann das Gebet durch nichts ersetzt werden.

Um effektiv beten zu können, muss unsere Beziehung zu Gott, zu unseren Mitmenschen und zu uns selbst intakt sein. Wenn in einem dieser Bereiche etwas nicht in Ordnung ist, können wir davon ausgehen, dass unser Gebetsleben davon beeinträchtigt wird. Wir möchten, dass unsere Gebete „zum Himmel steigen" (siehe 2Chr 30,27) und dass wir erhört werden (siehe Hi 42,9; Ps 6,9). Das Letzte, was wir wollen, ist das, was der jüdische Überrest zu hören bekam, nachdem der Herr die Babylonier nach Jerusalem gesandt hatte, um es zu zerstören: „Auch wenn ich schrie und um Hilfe rief, verschloss er sein Ohr vor meinem Gebet … Du hast dich in eine Wolke gehüllt, sodass kein Gebet hindurchdrang" (Kla 3,8.44). Aber wir sehnen uns doch danach, dass unsere Gebete hindurchdringen!

Der Herr hört nicht nur die Gebete seiner Gerechten (siehe Spr 15,29), sondern er freut sich auch darüber, wenn sie beten. „Wenn Redliche beten, freut er sich" (Spr 15,8; NeÜ). Immer dann, wenn der Herr unsere Gebete hört und darauf antwortet, ist das ein Zeichen seiner Liebe. „Gepriesen sei Gott, der nicht verworfen hat mein Gebet noch seine Gnade von mir zurückzieht!" (Ps 66,20). Gott hat viele Möglichkeiten, uns zu nahen: „Nahe ist der HERR allen, die ihn anrufen, allen, die ihn in Wahrheit anrufen" (Ps 145,18). Gebet sollte nicht nur uns Freude machen, sondern auch unseren Gott erfreuen.

Wenn unsere Beziehung zu dem Herrn immer tiefer wird, wird unser Vertrauen zu ihm wachsen, und unsere Liebe wird uns dazu bringen, ihm zu gehorchen. Ohne Glauben ist es nicht möglich, Gott zu gefallen (siehe Hebr 11,6), und wir müssen glauben, damit Gott unsere Gebete erhört. „Alles, was ihr im vertrauensvollen Gebet verlangt, werdet ihr bekommen“ (Mt 21,22; NeÜ). Aber „der Glaube kommt also aus dem Hören der Botschaft, die Verkündigung aber durch das Wort des Christus“ (Röm 10,17; NeÜ), d. h., wir können nicht Gottes Wort ignorieren und gleichzeitig damit rechnen, dass Gott unsere Gebete erhört. Jesus sagte: „Wenn ihr in mir bleibt und meine Worte in euch bleiben, so werdet ihr bitten, was ihr wollt, und es wird euch geschehen“ (Joh 15,7).

Es heißt aber auch: „Wer sein Ohr abwendet vom Hören des Gesetzes, desse Gebet sogar ist ein Gräuel“ (Spr 28,9). Der Prophet Sacharja drückt es folgendermaßen aus: „Sie machten ihre Herzen hart wie Kieselstein und schlugen meine Weisungen in den Wind. Sie wollten einfach nicht auf das hören, was Jahwe, der allmächtige Gott, ihnen durch seinen Geist sagte, den er in den früheren Propheten wirken ließ. Deshalb traf sie mein Zorn mit voller Wucht. Es geschah Folgendes: So wie ich sie rief und sie nicht hörten, werden sie rufen und ich werde nicht hören, spricht Jahwe, der allmächtige Gott“ (Sach 7,12-13; NeÜ). Warum sollte der Herr uns hören, wenn wir nicht auf ihn hören wollen?

Diejenigen, die an Gott glauben, sind innerlich davon überzeugt, dass er sie hört und auf ihre Gebete antwortet (siehe 1Jo 5,14-15); und wer den Herrn liebt, hat den Wunsch, ihm zu gehorchen. Jesus sagte: „Wenn ihr mich liebt, so werdet ihr meine Gebote halten“ (Joh 14,15). Diese Christen kennen die Freude einer tiefen Gemeinschaft, die durch Gehorsam entsteht. Sie wissen auch, dass Gehorsam für eine gute Beziehung zum Herrn notwendig ist, für eine Beziehung, die die Erhörung von Gebeten möglich macht. Der Psalmist bestätigt das: „Hätte ich Böses im Sinn gehabt, dann hätte der Herr nicht gehört. Gott aber hat mich erhört, er hat mein Beten vernommen“ (Ps 66,18-19; NeÜ). Dieses „im Sinn haben“ kann auch mit „etwas beabsichtigen“ übersetzt werden; es bedeutet: Man gibt zwar zu, dass Sünde da ist, man billigt sie jedoch und beabsichtigt, nichts dagegen zu tun.

Ungehorsam ist ein unüberwindliches Hindernis für erhörtes Beten, besonders dann, wenn er auch noch als fromme Heuchelei getarnt ist. Zur Zeit Jesajas liefen die Menschen in Israel in Scharen in den Tempel, sie brachten ihre Opfergaben zum Altar und erhoben ihre Hände zum Gebet, aber der Herr ließ sich nicht davon beeindrucken. Stattdessen ließ er durch seinen Propheten Jesaja Folgendes sagen:

> *Wozu soll mir die Menge eurer Schlachtopfer dienen?, spricht der HERR. Ich habe die Brandopfer von Widdern und das Fett der Mastkälber satt, und am Blut von Stieren, Lämmern und jungen Böcken habe ich kein Gefallen. Wenn ihr kommt, um vor meinem Angesicht zu erscheinen – wer hat das von eurer Hand gefordert, meine Vorhöfe zu zertreten? Bringt nicht länger nichtige Speisopfer! Das Räucherwerk ist mir ein Gräuel. Neumond und Sabbat, das Einberufen von Versammlungen: Sünde*

und Festversammlung ertrage ich nicht. ... Und wenn ihr eure Hände ausbreitet, verhülle ich meine Augen vor euch. Auch wenn ihr noch so viel betet, höre ich nicht.

Jesaja 1,11-13.15

Heutzutage gilt die Größe einer Gemeinde als Indikator für Erfolg, aber der Herr freute sich nicht über den überfüllten Tempel zur Zeit Jesajas. Dwight L. Moody sagte einmal, „dass die Bekehrten nicht nur gezählt, sondern auch gewogen werden sollten", d. h., es zählt nicht nur Quantität, sondern auch Qualität. Als der Herr die vielen Menschen im Tempel sah, stellte er fest, dass ihnen etwas fehlte. An ihren erhobenen Händen klebte das Blut von hilflosen Witwen und Waisen, die ungerecht behandelt und ihrer wenigen Habseligkeiten beraubt worden waren (siehe Jes 1,18-23).

Hier sind vier Gründe, warum Gott Gebete nicht erhören kann: Unglaube, willentlicher Ungehorsam, Gleichgültigkeit gegenüber Gottes Wort sowie religiös getarnte Heuchelei.

Auch unter uns sind diese Hindernisse noch immer sehr verbreitet.

17.

Deine Beziehung zu deinen Mitmenschen

Es kann nicht sein, dass wir mit unseren Mitmenschen ein gestörtes Verhältnis haben und gleichzeitig mit Gott eine innige Gemeinschaft pflegen. Paulus schreibt: „Wenn möglich, soviel an euch ist, lebt mit allen Menschen in Frieden!“ (Röm 12,18).

Das beginnt ganz sicherlich im eigenen Zuhause.

Petrus' Ratschlag an Ehemänner und Ehefrauen endet in 1. Petrus 3,1-7 mit den Worten: „Ihr Männer ebenso, wohnt verständnisvoll mit ihnen zusammen als dem schwächeren, dem weiblichen Gefäß, und gebt ihnen Ehre als solchen, die auch Miterben der Gnade des Lebens sind, damit eure Gebete nicht verhindert werden!“ (3,7). Petrus setzte voraus, dass die Ehemänner mit ihren Frauen gemeinsam beteten und damit rechneten, Gott würde sie erhören. Deshalb warnte er sie vor ehelichen Auseinandersetzungen.

Aber nicht nur zu Hause können wir verhindern, dass Gott unsere Gebete erhört. Auch mit unseren Mitgeschwistern in der Gemeinde können wir gestörte Beziehungen haben. Jesus sagte: „Und wenn ihr steht und betet, so vergebt, wenn ihr etwas gegen jemand habt, damit auch euer Vater, der in den Himmeln ist, euch eure Übertretungen vergibt" (Mk 11,25). Diese Ermahnung passt zur fünften Bitte im Vaterunser: „Und vergib uns unsere Schulden, wie auch wir unseren Schuldnern vergeben haben" (Mt 6,12). Paulus schreibt: „Ich will nun, dass die Männer an jedem Versammlungsort beten und dass sie dabei ihre Hände mit reinem Gewissen erheben, frei von Zorn und boshaften Gedanken" (1Tim 2,8; NeÜ).

In den 1960er-Jahren sollte ich einmal eine dreitägige Bibelkonferenz in einer Gemeinde abhalten, die ca. zwei Stunden entfernt von meiner Gemeinde lag, in der ich Pastor war. Als ich am Montag, dem ersten Abend der Konferenz, ankam, war ich schockiert. Man erzählte mir, dass der Pastor ohne Vorwarnung am Tag zuvor gekündigt hatte. Die Leiter der gespaltenen Gemeinde begannen nun, sich gegenseitig die Schuld zuzuschieben. Toller Beginn einer Bibelkonferenz! Ich hatte beabsichtigt, die Konferenz unter das Thema „Waschen" bzw. „Reinigen" zu stellen. Dazu finden wir in der Schrift drei Bibelstellen: „Wasche mich" (Ps 51,9), „Wascht euch" (Jes 1,16) und „Wascht euch gegenseitig" (siehe Joh 13,14). Offensichtlich war es genau das, was diese Gemeinde gerade brauchte.

PERSÖNLICHE STREITIGKEITEN ZU HAUSE UND IN DER GEMEINDE SIND ERNSTZUNEHMENDE SCHWIERIGKEITEN, DIE VERHINDERN, DASS GOTT UNSERE GEBETE ERHÖRT.

Am Ende meiner Predigt sagte ich: „Vielleicht haben hier einige unter uns Gottes Reinigung nötig und sollten sich selbst reinigen bzw. waschen. Möglicherweise sollten wir uns entschuldigen und jemandem die Füße waschen. Wenn du möchtest, kannst du hier nach vorne kommen, damit wir zusammen beten können. Eventuell solltest du zuerst auf jemanden zugehen, bevor du mit dem Herrn redest." Wir sangen anschließend ein Segenslied, und die Leute kamen in Bewegung. Noch nie zuvor habe ich erlebt, wie Menschen aufeinander zueilten, um ihre Freunde zu umarmen und um Vergebung zu bitten für das, was sie gesagt und getan hatten.

Der Abend endete mit einer Lob- und Dankversammlung, bei der der Herr Wunden heilte und Herzen mit Liebe erfüllte. *Aber unsere Gebete wären vergeblich gewesen, wenn nicht zuvor Schuldeingeständnis und Reinigung stattgefunden hätten.* Persönliche Streitigkeiten zu Hause und in der Gemeinde sind ernstzunehmende Schwierigkeiten, die verhindern, dass Gott unsere Gebete erhören kann; und sie müssen aus dem Weg geräumt werden. „Wenn jemand sagt: Ich liebe Gott, und hasst seinen Bruder, ist er ein Lügner. Denn wer seinen Bruder nicht liebt, den er gesehen hat, kann nicht Gott lieben, den er nicht gesehen hat" (1Jo 4,20).

18.

Deine Beziehung zu dir selbst

Denke einmal über den folgenden Abschnitt aus 1. Johannes 1,5-10 (NeÜ) nach:

> *Folgende Botschaft haben wir von ihm gehört und geben sie hiermit an euch weiter: „Gott ist Licht; in ihm gibt es keine Spur von Finsternis." Wenn wir behaupten, mit Gott Gemeinschaft zu haben und trotzdem in der Finsternis leben, dann lügen wir: Unser Tun steht im Widerspruch zur Wahrheit. Wenn wir aber im Licht leben, so wie Gott selbst im Licht ist, haben wir Gemeinschaft miteinander. Dann reinigt uns das Blut seines Sohnes Jesus von jeder Sünde. Wenn wir behaupten, ohne Sünde zu sein, betrügen wir uns selbst und verschließen uns der Wahrheit. Wenn wir unsere Sünden eingestehen, zeigt Gott, wie treu und gerecht er ist: Er vergibt uns die Sünden und reinigt uns von jedem begangenen Unrecht. Wenn wir behaupten, wir hätten nicht gesündigt, machen wir Gott zum Lügner. Dann lebt sein Wort nicht in uns.*

In diesen Abschnitt finden wir dreimal den Ausdruck „wenn wir behaupten …". Die Verse 6, 8 und 10 beschreiben den Kontrast zwischen dem, was wir sagen, und dem, was wir tun bzw. wer wir tatsächlich sind. Natürlich sind alle diese Behauptungen Lügen, denn sie entsprechen nicht der Wahrheit. In Vers 6 *belügen* wir andere bezüglich unseres Verhältnisses zu Gott; in Vers 8 *belügen* wir uns selbst wegen unserer Sünden und versuchen, unser Gewissen zu beruhigen; und in Vers 10 *belügen* wir Gott! Andere Menschen zu belügen ist Heuchelei, uns selbst zu belügen ist Selbstbetrug, aber Gott zu belügen grenzt schon an Abfall vom Glauben. Je mehr wir lügen, desto schneller verdirbt unser Charakter, und umso härter muss Gott an uns arbeiten, damit wir wieder zurechtgebracht werden.

WENN WIR UNS SELBST BEZÜGLICH UNSERER GEHEIMEN SÜNDEN BELÜGEN, VERLIEREN WIR UNS SELBST UND UNSERE BEZIEHUNG ZU DEM HERRN.

Der Vater sehnt sich danach, dass alle seine Kinder seinem geliebten Sohn immer ähnlicher werden.

Hier möchte ich auf die zweite Behauptung zurückkommen, nämlich dass wir uns selbst belügen. Das ist eine raffinierte Methode des Teufels. Er bringt uns nach und nach dazu, zu glauben, unser geistlicher Zustand sei in Ordnung, obwohl er längst krankt. Anfangs lassen wir es noch zu, dass der Teufel uns über vermeintliche Kleinigkeiten in unserem Leben täuscht; dann aber bringt Satan uns allmählich dahin, dass wir uns mit sehr wichtigen Dingen selbst betrügen.

Wir fühlen uns auf der sicheren Seite, denn nach wie vor halten wir an unseren frommen

Gewohnheiten fest: Wir lesen täglich in der Bibel, beten, besuchen die Gemeinde, bringen Opfer und haben noch ein gewisses Maß an christlicher Ehrbarkeit – und das alles, obwohl unser Denken mittlerweile durch und durch verdorben ist und sich unsere geheimen Sünden vervielfältigt haben. Wir verbergen unsere Sünden hinter unserer frommen Fassade, so wie die Menschen, die Jesaja beschrieben hat; aber dennoch kennt der Herr die Wahrheit.

Wenn wir uns selbst bezüglich unserer geheimen Sünden belügen, verlieren wir uns selbst und unsere Beziehung zum Herrn. Unsere Gebete sind reine Zeitverschwendung, denn der Herr wird sie nicht erhören. Somit werden wir zu frommen, schizophrenen Menschen, über die Jakobus sagt: „Doch wenn er diese Bitte vorbringt, soll er das mit Gottvertrauen tun und sich keinen Zweifeln hingeben. Ein Zweifler ist nämlich wie eine vom Wind gepeitschte hin- und herwogende Meereswelle. Ein solcher Mensch kann nicht erwarten, etwas vom Herrn zu empfangen. Er ist in sich gespalten und unbeständig in allem, was er unternimmt" (Jak 1,6-8; NeÜ).

Erneuerung ist möglich, indem wir einfach geistlich umkehren, d. h., wir sollen ehrlich sein: dem Herrn, anderen Menschen und uns selbst gegenüber. Wir sollen unsere Sünden bekennen und aus der Finsternis ins Licht treten.

❧

Einmal hatte ich eine mehrteilige Radiosendung über einige Gebete aus der Bibel gemacht, die nicht erhört worden waren. Diese wurde später in einem Buch mit dem Titel *Famous Unancered Prayers* (dt. etwa *Berühmte unbeantwortete Gebete*) publiziert. Allerdings wunderte ich mich, dass weder die Radiosendungen noch das Buch Akzeptanz fanden. Ein Freund meinte, dass die meisten Menschen am liebsten nichts über Versagen hören wollen; sie wollen lieber durch Erfolge ermutigt werden. Das erinnerte mich an den bekannten Methodistenprediger Clovis Chappell, der das Buch *Familiar Failures* (dt. etwa Vertrautes Versagen) veröffentlich hatte, das ebenso kein großer Verkaufsschlager wurde: Wer will denn schon etwas von Misserfolgen lesen?

Aber Versagen und Fehler gehören nun einmal zum Leben dazu, sie sind ein strenger, aber ehrlicher Lehrmeister; wenn wir sie ignorieren, werden wir meist noch schlimmere Misserfolge erleiden müssen. Jeder Wissenschaftler, Erfinder und Unternehmer wird mir hier zustimmen: Jedes Versagen hat auch einen positiven Aspekt. Henry Ford nannte es „eine Gelegenheit, um mit einer neuen Einstellung noch einmal von vorne beginnen zu können".

In den berühmten Comics von Charles M. Schulz sagt Lucy einmal zu Charly Brown: „Wir lernen mehr durch unsere Misserfolge als durch unsere Erfolge", woraufhin er zur Antwort gibt: „Dann muss ich der intelligenteste Mensch der ganzen Welt sein." Vielleicht hätte Lucy sagen sollen: „Wir *können* lernen …", denn die Möglichkeit zu lernen steht uns zwar offen, aber wir müssen sie auch wahrnehmen.

Als Christen sollten wir uns bewusst machen, dass ein vermeintlicher Misserfolg durchaus bedeuten kann, dass Gott uns die Chance zu einer besseren Gelegenheit gibt. Ich bin dankbar für die Aussage von Cheryl Forbes[9], die sagte: „(Irgendwie) würden wir es niemals so sehen, dass Gott versagt, sondern dass ihm alles gelingt – schon eine seltsame Haltung für Menschen, die das Kreuz als Zentrum ihres Glaubens sehen." Wenn wir einige der unbeantworteten Gebete der Bibel genau untersuchen und *den Herrn und seine Wahrheit darin erkennen wollen,* wird unser Bemühen nicht vergeblich sein.

---

9 Christliche Buchautorin und ehemalige Redakteurin bei *Christianity Today* (Anm. d. dt. Hg.).

19.

Gefährliche Vermessenheit

Der Fall „Israel"
(5Mo 1,26-46; 4Mo 13–14)

Ungefähr zwei Jahre nachdem der Herr das Volk Israel aus Ägypten befreit hatte, brachte er es nach Kadesch-Barnea, dem Tor zum Land Kanaan. Sie weigerten sich jedoch, in das Land einzuziehen, weil sie Gott nicht glaubten und gehorchten. Gott kündigte ihnen daraufhin an, dass sie einen 38 Jahre langen Trauerzug machen würden, bei dem alle aus dem Volk, die 20 Jahre oder älter waren, sterben würden – alle bis auf Josua und Kaleb. Die Antwort des Volkes darauf war: „Wir haben gegen den Herrn gesündigt." Allerdings darf man bezweifeln, ob ihre Reue echt war.

Wie vorherzusehen war, versuchten sie dann eigenmächtig, in das Land einzumarschieren, ohne auf Gottes Hilfe und Zustimmung zu warten. Selbstverständlich erlitten sie eine schreckliche Niederlage. Mose hatte sie vor ihrem törichten Handeln gewarnt, aber sie hatten nicht hören wollen. Das war einmal mehr ein Beweis für ihr gestörtes Verhältnis zu Gott. „Ihr kehrtet zurück und weintet vor dem HERRN. Aber der HERR hörte nicht auf eure Stimme und neigte sein Ohr nicht zu euch", sagte Mose ihnen (5Mo 1,45). Sie erlebten das, was William Culbertson „die tragische Konsequenz vergebener Sünde" nennt.

Israel ging „vermessen" gegen seine Feinde vor (4Mo 14,44), und Vermessenheit ist sehr gefährlich. 1. Johannes 5,15-16 nennt sie eine „Sünde zum Tod"; Gott zeigt uns anhand von 4. Mose 15,22-31, dass er einen Unterschied zwischen versehentlichen und vorsätzlichen Sünden aus Trotz macht. Für die erstgenannten waren Opfer zur Vergebung möglich, aber für die eigenwilligen Sünden gab es kein Opfer zur Vergebung. Nach seinem Ehebruch und Mord brachte der König David, der Mann nach dem Herzen Gottes, Gott keine Opfer dar. Stattdessen nahm er Gottes Barmherzigkeit in Anspruch (siehe Ps 51,16-17).

Gott erhört keine Gebete von Menschen, die sich ihm aus Vermessenheit widersetzen, die „ihr eigenes Ding machen" und dann von Gott erwarten, er würde alles wieder zurechtrücken. Damit Gott unsere Gebete erhören kann, setzt er zwei Dinge voraus: zum einen Glauben, der zu Vertrauen führt, und schließlich Liebe, die zum Gehorsam bereit ist – bei Israel war beides nicht zu finden. Bis auf Mose, Kaleb und Josua widersetzte sich das Volk Israel und missachtete Gottes Willen; damit verwirkten sie ihr Recht auf ihr Erbe.

Der Fall „Mose und Aaron" *(5Mo 1,37-38; 3,21-28; 4,21-22; 4Mo 20,1-13)*

Das Volk Israel hatte vermessen gehandelt; Mose ebenso; und die Folge davon war: Er durfte nicht in das Land Kanaan einziehen. Mose war ein demütiger Mann (siehe 4Mo 12,3); er war nicht der einzige Führer, der nicht aufgrund seiner Schwäche versagte, sondern ausgerechnet darin, wo seine Stärke lag. Er verlor die Geduld, er nannte das Volk rebellisch, er stellte sich und Aaron über Gott und schlug schließlich zweimal auf den Felsen, anstatt zu ihm zu sprechen. Gott versorgte gnädigerweise dennoch das Volk und gab ihm Wasser aus dem Felsen zu trinken. Aber er teilte Mose und Aaron auch mit, dass sie aufgrund ihrer Anmaßung ihren Anspruch verloren hatten, in Kanaan einzuziehen. Stattdessen wurde Josua der Nachfolger Moses und führte das Volk in das verheißene Land.

Mose betete zu Gott, er möge doch seine Meinung ändern und ihn in das Land gehen lassen, aber Gott hörte nicht auf ihn. Stattdessen verbot er Mose, weiter darüber zu sprechen. Man bekommt hier den Eindruck, dass Mose immer und immer wieder darüber betete, bis der Herr ihm schließlich Einhalt gebot. Gott erlaubte Mose vor seinem Tod, von Weitem einen Blick in das verheißene Land zu werfen (siehe 5Mo 34,1-4), und er durfte das Land sogar für einen kurzen Moment besuchen, als er auf dem Berg der Verklärung erschien (siehe Mt 17,1-3). Hier sehen wir, welche negativen Auswirkungen die Sünde der Vermessenheit auf das Leben des gottesfürchtigen Führers Mose hatte.

Es gibt Sünden des Fleisches und des Geistes (siehe 2Kor 7,1), und bei Mose handelte es sich um eine Sünde des Geistes. Er wurde zornig auf das Volk, verlor seine Beherrschung und sagte, er und Aaron würden sie mit Wasser aus dem Felsen versorgen. Weil Mose und Aaron Gott die Ehre nahmen, beraubten sie sich selbst der Freude, in das verheißene Land einziehen zu dürfen. Die feinen Sünden des Geistes sind vor Gott genauso abscheulich wie die schlimmsten Sünden des Fleisches, und sie können uns teuer zu stehen kommen.

Der Fall „Elia“
(1Kö 19,1-14)

„Es ist genug, HERR“, sagte Elia zu Gott, „nimm mein Leben hin! Denn ich bin nicht besser als meine Väter.“ Der Prophet Elia versank im Selbstmitleid, das zwar seinem Ego diente, aber seine Probleme keineswegs löste. Im Gegenteil - alles wurde nur noch schlimmer. Bevor wir aber zu sehr mit diesem großen Propheten ins Gericht gehen, sollten wir uns zuerst fragen, ob es uns nicht schon genauso erging.

Wenn Elia wirklich hätte sterben wollen, hätte Isebel ihn sicherlich zu fassen bekommen; Elias Gebet war also gewiss nicht ernst gemeint. Er hatte eine sehr intensive Zeit des Dienstes hinter sich – er hatte Feuer vom Himmel gefordert, die götzendienerischen Propheten abgeschlachtet und eine lange Dürrezeit durch Gebet um Regen beendet. Nun war er einsam, müde und emotional ausgelaugt. Wenn du dich auch so fühlst, solltest du keine wichtigen Entscheidungen treffen – denn sie werden zweifellos falsch sein, und du wirst sie später bereuen.

Elia beging einen großen Fehler, als er das Kampffeld verließ und sich allein zum Berg Sinai aufmachte. Es gab für ihn keinen Grund, sich vor Isebels Drohungen zu fürchten, sehr wohl aber für die Furcht vor den Konsequenzen, wenn er sich Gottes Willen nicht mehr fügen würde. Sünde ist für einen Glaubensmann weitaus schlimmer, als den Märtyrertod zu sterben. Elia hatte bis zu diesem Zeitpunkt immer nur dann gehandelt, wenn der Herr ihn dazu beauftragt hatte. Die Worte „Und es geschah das Wort des HERRN zu Elia" waren für ihn immer ein Zeichen zum Aufbruch gewesen (siehe 1Kö 17,1-3.8-9; 18,1). Hier aber ging er einen eigenen Weg, nicht aus Glauben und nicht nach Gottes Willen. Es war daher kaum zu erwarten, dass er wirklich wusste, wofür er beten sollte. Er folgte seinen Gefühlen, die ihn in die Irre führten.

Sowohl Elia als auch Petrus waren beide mutige Männer, die an ihrer größten Stärke zerbrachen. Elia flüchtete vor Isebels Drohungen, Petrus verlor den Mut und log, nachdem eine Dienerin ihm eine Frage gestellt hatte. Aber es war auch ihr Stolz, der zu ihrem tragischen Versagen führte. Die Aussage „Ich bin nicht besser als meine Väter" lässt vermuten, dass sich Elia mit seinen Vorfahren Mose (der auf einem Berg starb), Josua oder Gideon (die beide die Götzendiener besiegt hatten) verglich und sich deshalb als gering erachtete. Der Apostel Petrus hatte damit geprahlt, den Herrn niemals zu verlassen, selbst wenn sich alle anderen Jünger von ihm abwenden würden. Aber er hat sein Versprechen nicht gehalten.

Stellen wir uns vor, Gott hätte Elias Gebet erhört und ihn sterben lassen; sein toter Körper wäre in der Höhle verwest. Er hätte seinen Dienst nicht zu Ende gebracht, denn er musste ja noch seinen Nachfolger berufen. Außerdem hätte er eine großartige Fahrt in den Himmel verpasst! Natürlich war sein Gebet egoistisch – ebenso wie es unsere Gebete sind, wenn wir uns einsam fühlen und uns unseren Ängsten und Enttäuschungen hingeben. Für Elia wäre es gut gewesen, wenn er sich bei den 7000 Israeliten, die ihre Knie nicht vor Baal beugten, oder bei den Prophetenschülern aufgehalten hätte. Sie hätten ihn sicherlich ermutigt. Sogar unser Herr ging nicht allein in den Garten Gethsemane, sondern nahm noch drei Jünger mit (siehe Mk 14,32-42). „Es ist nicht gut, dass der Mensch allein ist" (1Mo 2,18) gilt nicht nur für die Ehe, sondern auch für den Dienst. Jesus sandte seine Jünger immer zu zweit aus, damit sie sich gegenseitig ermutigen und helfen konnten (siehe Mk 6,7), und auch Salomo schrieb: „Zwei sind besser dran als ein Einzelner" (siehe Pred 4,9-12).

„ES IST NICHT GUT, DASS DER MENSCH ALLEIN SEI" (1MO 2,18) GILT NICHT NUR FÜR DIE EHE, SONDERN AUCH FÜR DEN DIENST.

Jakobus ermutigte seine Leser, zu beten und dem Herrn in allem zu vertrauen, indem er auf Elia hinwies. „Das Gebet eines Gerechten ist wirksam und vermag viel. Elia war genauso ein Mensch wie wir" (Jak 5,16-17; NeÜ).

Welch eine Ermutigung, besonders in den dunklen Stunden unseres Lebens, wenn wir beten:

„Es ist genug." Gerade dann zieht uns der Herr zu sich hin und trägt uns hindurch, denn „er weiß ja, wie vergänglich wir sind; er vergisst es nicht: Wir bestehen aus Staub" (Ps 103,14; NeÜ).

Sowohl Mose als auch Elia kannten den Schmerz von Enttäuschung und Ohnmacht durch unbeantwortete Gebete. Dennoch durften diese beiden bei Jesu Verherrlichung auf dem Berg der Verklärung dabei sein (siehe Mt 17,1-3). Wenn wir an Elia denken, wollen wir uns an ihn auf dem Berg der Verherrlichung und nicht in der Höhle der Trostlosigkeit erinnern. Da, wo die Sünde übergroß ist, finden wir Gottes Gnade über die Maßen.

Der Fall „Salome, Jakobus und Johannes" (Mt 20,17-28)

Salome gehörte zu den Frauen, die Jesus auf seinem Leben hier auf der Erde begleiteten und ihm dienten; die meisten Bibellehrer gehen davon aus, dass sie die Frau von Zebedäus und die Mutter von Jakobus und Johannes war (siehe Mt 27,56; Mk 15,40-41; 16,1). Eines ist jedoch sicher: Sie hatte hohe Ziele für ihre beiden Söhne. Aber Jesus erhörte ihre Bitte nicht:

> *Dann trat die Mutter der Söhne des Zebedäus mit ihren Söhnen zu ihm und warf sich nieder und wollte etwas von ihm erbitten.*
>
> *Er aber sprach zu ihr: Was willst du? Sie sagt zu ihm: Bestimme, dass diese meine zwei Söhne einer zu deiner Rechten und einer zu deiner Linken sitzen mögen in deinem Reich! Jesus*

aber antwortete und sprach: Ihr wisst nicht, um was ihr bittet. Könnt ihr den Kelch trinken, den ich trinken werde? Sie sagen zu ihm: Wir können es. Er spricht zu ihnen: Meinen Kelch werdet ihr zwar trinken, aber das Sitzen zu meiner Rechten und zu meiner Linken zu vergeben, steht nicht bei mir, sondern ist für die, denen es von meinem Vater bereitet ist. Und als die Zehn es hörten, wurden sie unwillig über die zwei Brüder. Jesus aber rief sie herzu und sprach: Ihr wisst, dass die Regenten der Nationen sie beherrschen und die Großen Gewalt gegen sie üben.

Unter euch wird es nicht so sein; sondern wenn jemand unter euch groß werden will, wird er euer Diener sein, und wenn jemand unter euch der Erste sein will, wird er euer Sklave sein; gleichwie der Sohn des Menschen nicht gekommen ist, um bedient zu werden, sondern um zu dienen und sein Leben zu geben als Lösegeld für viele.

Matthäus 20,20-28

Hinter Jakobus und Johannes stand eine betende Mutter, die sehr wohl die Grundvoraussetzungen für erhörendes Gebet erfüllte. Zuerst einmal kam sie demütig zu Jesus, sie kniete zu seinen Füßen und nannte ihm kurz und prägnant ihr Anliegen. In seiner *Institutio Christianae Religionis* (Christliche Glaubenslehre) nennt John Calvin im Kapitel „Gebet" die *Ehrfurcht* als erste Voraussetzung zum Gebet. Salome erfüllte diese Voraussetzung. Zweitens erhob sie Anspruch auf ein Versprechen, denn Gebet beinhaltet auch, Gottes Verheißungen in Anspruch zu nehmen. Schließlich hatte Jesus gesagt, dass die Apostel mit ihm auf dem Thron sitzen würden (siehe Mt 19,28). Drittens bewies Salome großen Glauben, weil Jesus kurz zuvor davon gesprochen hatte, dass er zum Tod am Kreuz verurteilt werden würde (siehe Mt 20,17-19). Warum fragte sie nach dem Thron, wenn das Kreuz erst noch bevorstand? Schließlich waren sie und ihre beiden Söhne übereingekommen, diese Bitte zu stellen, denn Jesus hatte versprochen, auf diese Art von Gebet zu antworten (siehe Mt 18,19).

Unsere Gesellschaft wird heute mit Unmengen von Praxisbüchern wie *In sieben Schritten zum Erfolg* überschwemmt, und leider macht dieses Phänomen auch vor christlichen Gemeinden nicht Halt. Warum bloß sieben Schritte und nicht zehn? Und welche biblischen Texte bilden die Basis für diese Schritte? Ich kenne einen christlichen Autor, der einen ansprechenden Titel durch einen Titel mit Zahlen ersetzt hat, denn Werbefachmänner hatten behauptet: „Zahlen sind der neueste Trend, weil Menschen etwas brauchen, woran sie sich messen können." Was ist nur „aus der ganzen Fülle des Christus" geworden (siehe Eph 4,13)?

Zwar hatte Salome alle Voraussetzungen für erhörendes Beten erfüllt, aber warum hat der Herr ihrer Bitte nicht entsprochen? Weil ihre Bitte nicht in Übereinstimmung mit dem „Vaterunser" war. In diesem Gebet geht es in erster Linie um Beziehungen. Salome und ihre Söhne ignorierten, dass sie lediglich Teil einer großen Familie von Gläubigen waren, denn sie hatten nur sich im Blickfeld gehabt und nicht an ihre übrigen Mitgeschwister gedacht. Daher ist es auch nicht verwunderlich, dass sich die übrigen Apostel so entrüsteten – egoistisches Beten wirkt sich immer zerstörerisch auf die Familie Gottes aus.

Man nennt das 4. Kapitel des Jakobusbriefes auch das „Kriegskapitel" der Bibel, worin wir die Erklärung finden, warum einige Christen mit anderen Gläubigen einfach nicht zurechtkommen. Einen der Hauptgründe finden wir im dritten Vers: „Und selbst wenn ihr betet, bekommt ihr nichts, weil ihr in böser Absicht bittet und nur eure Gier befriedigen wollt" (NeÜ). Salome war davon überzeugt, dass ihre Söhne den Thron verdienten, denn die anderen Apostel, die eventuell einen größeren Anspruch auf den Thron gehabt hätten, waren in ihren Augen nicht so angesehen.

Nachdem wir uns mit den Motiven, Absichten und Beziehungen bezüglich unserer Gebete beschäftigt haben, kommen wir nun zum Aspekt unserer Verantwortung, der ebenfalls im Vaterunser enthalten ist. Diente Salomes Bitte zu Gottes Verherrlichung? Wahrscheinlich nicht. Wurde durch ihr Gebet das Erscheinen von Christi Reich beschleunigt? Nein. Trug ihre Bitte dazu bei, dass Gottes Willen auf der Erde erfüllt wurde? Auch das würde Jesus verneinen. Salome und ihre Söhne hätten wahrscheinlich niemals um den Platz auf dem Thron gebeten, wenn sie ihre Bitte am Vaterunser gemessen hätten. Gebet ist weitaus mehr, als irgendwelchen Vorgaben zu folgen; beim Gebet geht es auch darum, Beziehungen zu respektieren und Verantwortung zu übernehmen.

Zum Gebet gehört auch *Geben,* und nicht nur *Empfangen.* Gedankenlose Bitten verdienen keine Beachtung. Bevor Jesus auf seinem Thron Platz nehmen konnte, musste er leiden und sterben. Jakobus und Johannes wollten den Thron, ohne dafür auch nur irgendetwas zu investieren. Jesus stellte ihnen die Frage: „Ihr wisst nicht, um was ihr bittet. Könnt ihr den Kelch trinken, den ich trinke, oder mit der Taufe getauft werden, mit der ich getauft werde?“ Noch immer überrascht mich ihre Antwort: „Wir können es“ (Mk 10,38-39). Ihnen war nicht bewusst, um was sie Jesus baten; sie kannten ihr eigenes Herz nicht. Sie meinten tatsächlich, sie würden Jesus in seinen Leiden nachfolgen können. Als es schließlich brenzlig wurde, verließen sie ihn jedoch genauso wie die anderen Jünger.

Wir sehen: Gebet ist ein Privileg seiner Gnade, und wenn Gott es erhört, ist es sein Geschenk an uns; aber *dennoch ist es nicht gratis.* Darauf werde ich noch einmal zurückkommen, wenn wir uns mit Paulus' Bitte in Epheser 3,14-21 beschäftigen. An dieser Stelle nur folgende Anmerkung: Wir sollten nicht nur auf das Gebet vorbereitet sein, sondern ebenso auf Gottes Antwort, damit er dadurch verherrlicht wird. Jakobus und Johannes wurde nicht versprochen, dass sie auf dem Thron mit Ehren überschüttet würden, sondern ihnen wurde verheißen, dass sie tatsächlich den Kelch trinken und die Taufe erfahren würden. Jakobus wurde der erste Märtyrer (siehe Apg 12,1-2). Johannes starb als letzter der Apostel, nachdem er zuvor um Jesu Namen willen verfolgt und ins Exil geschickt wurde.

Müssen wir Gott um einen Thron bitten, wenn uns bereits ein Platz mit Christus in der Himmelswelt (siehe Eph 2,6) sicher ist? *Zudem ist das Gebet unser Thron in dieser Welt, ein „Thron der Gnade“* (Hebr 4,16). Gottes Gnade regiert, weil Christus regiert; deshalb haben auch wir das Vorrecht, hier in diesem Leben durch ihn zu herrschen (Röm 5,17). Jakobus und Johannes beanspruchten einen Ehrenplatz im zukünftigen Reich, uns hingegen wird eine größere Ehre zuteil, weil wir *heute* schon durch Jesus Christus Zutritt zum Thron der Gnade haben und als Überwinder im Namen Jesu herrschen dürfen.

Es birgt ein gewisses Risiko zu meinen, wir hätten Anspruch auf einen Thron, und zu behaupten, wir wären bereit, den Preis dafür zu zahlen. Jakobus musste tatsächlich „den Kelch trinken zu können", und Johannes überlebte alle anderen Apostel und musste als alter Mann auf die Insel Patmos ins Exil gehen (siehe Offb 1,9). Dort erlebte er, was Taufe heißt. Sogar Jesus Christus musste zuerst ans Kreuz gehen, um die Krone zu erlangen; erst die Leiden und dann die Herrlichkeit. Wer sind wir, dass wir Gottes Ordnungen umkehren könnten? Wenn es um das Gebet geht, dürfen wir Gott unsere Anliegen vortragen, aber wir müssen auch bereit sein, den Preis dafür zu zahlen. Im nächsten Kapitel werde ich noch näher darauf eingehen.

In der Bibel finden wir so viele wunderbare Gebetserhörungen, weshalb wir uns nicht weiter mit unerfüllten Gebeten beschäftigen müssen. Wenn überhaupt, dann sollten sie uns ermutigen, unser Herz und unsere Gebete zu hinterfragen, um zu sehen, ob wir tatsächlich nach Gottes Willen beten. Das soll unsere Aufgabe im nächsten Teil dieses Buches sein.

Teil IV

Das Gebet im Praxistest

Erforsche mich, Gott, und erkenne mein Herz.
Prüfe mich und erkenne meine Gedanken!
Und sieh, ob ein Weg der Mühsal bei mir ist,
und leite mich auf dem ewigen Weg!"
Psalm 139,23-24

Prüft euch, ob ihr im Glauben seid, untersucht euch!
2. Korinther 13,5

Ein Christ, der sich selbst nicht reflektiert und prüft,
gleicht einem vernachlässigten Garten.
Wenn ein Garten über längere Zeit nicht gehegt
und gepflegt wird, werden darin keine Tomaten
und Rosen wachsen, sondern nur Unkraut …
Prüfungen, Belehrung, Anleitung, Disziplin, Fürsorge,
Pflege, Jäten sind unerlässlich, um Leben zu erhalten.
A. W. Tozer

Wenn ich darum bete,
dass ein anderer das tut oder das ist,
was ich selbst nicht tue oder bin,
dann ist mein Gebet vergeblich.
Oswald Chambers

20.

Dein persönliches Gebetsleben

Plato beschreibt in seiner *Apologie* die letzten Stunden des Philosophen Sokrates, in denen dieser Folgendes sagte: „Ein ungeprüftes Leben ist nicht lebenswert." Damit hatte Sokrates recht. Verbringt man zu viel Zeit mit Selbstprüfung, kann man schnell verzweifeln; und eine oberflächliche Reflexion führt zu falschem Selbstvertrauen. Eine ehrliche Einschätzung kann uns dagegen zu einem besseren Menschen machen, wenn wir das Gelernte auch dementsprechend umsetzen.

Wenn wir uns der genauen Prüfung durch den Heiligen Geist im Spiegel des Wortes Gottes unterziehen, werden wir Gott und uns selbst besser kennenlernen; das führt zu Demut, Ehrlichkeit und Integrität. Wir fordern unser Unglück heraus, wenn wir in einer Traumwelt stecken bleiben. Aus diesem Grund betete David: „Erforsche mich, Gott" (Ps 139,23). Wir brauchen keine Angst zu haben, denn Gottes Vorgehen ist mitfühlend, und seine Diagnose ist genau. Er durchleuchtet uns wie bei einer Röntgen-Untersuchung; er führt aber keine Autopsie bei uns durch.

Wenn schon ein ungeprüftes Leben nicht lebenswert ist, dann ist auch ein ungeprüftes Gebetsleben es nicht wert, fortgesetzt zu werden. Sicher ist es einfach, einer täglichen Routine der „Stillen Zeit" ohne ernsthaftes Gebet zu folgen. Wir lesen die vorgegebenen Bibelverse und beten anhand eines Gebetskalenders, und gedankenlos drücken wir jeden Tag auf die „Wiedergabe-Taste" und beten immer das Gleiche. Haben wir das geschafft, gratulieren wir uns selbst noch innerlich, dass wir „so treu" unsere Stille Zeit eingehalten haben, und merken nicht, wie wenig wir – sowohl geistlich als auch auf längere Sicht gesehen – davon profitieren können.

In meiner „Stillen Zeit" finde ich es hilfreich, über Gebete in der Heiligen Schrift nachzudenken, besonders über die Gefängnisbriefe des Paulus (siehe Eph 1,15-23; 3,14-21; Phil 1,9-11; Kol 1,9-12). Paulus ermutigt uns in seinem zweiten Brief, dass wir unser Gebetsleben persönlich überprüfen:

> *Deshalb beuge ich meine Knie vor dem Vater, von dem jede Vaterschaft in den Himmeln und auf Erden benannt wird: Er gebe euch nach dem Reichtum seiner Herrlichkeit, mit Kraft gestärkt zu werden durch seinen Geist an dem inneren Menschen; dass der Christus durch den Glauben in euren Herzen wohnt und ihr in Liebe gewurzelt und gegründet seid, damit ihr imstande seid, mit allen Heiligen völlig zu erfassen, was die Breite und Länge und Höhe und Tiefe ist, und zu erkennen die die Erkenntnis übersteigende Liebe des Christus, damit ihr erfüllt werdet zur ganzen Fülle Gottes. Dem aber, der über alles hinaus zu tun vermag, über die*

Maßen mehr, als wir erbitten oder erdenken, gemäß der Kraft, die in uns wirkt, ihm sei die Herrlichkeit in der Gemeinde und in Christus Jesus auf alle Geschlechter hin von Ewigkeit zu Ewigkeit! Amen.

Epheser 3,14-21

Bete ich überhaupt?

Paulus war ein Mann des Gebets. Als er noch ein unbekehrter Pharisäer war, betete er sicherlich die traditionellen jüdischen Gebete; sein Leben als Christ begann, nachdem er drei Tage gefastet und gebetet hatte (siehe Apg 9,9.11). Es war ihm nicht peinlich, seine Freunde um Gebetsunterstützung zu bitten (siehe Röm 15,30; Eph 6,19; Kol 4,3; 1Thes 5,25; 2Thes 3,1); er selbst betete ebenfalls treu für sie (siehe Röm 1,8-10; Eph 1,15-23; 3,14-21; Phil 1,4.9-11; Kol 1,3.9-12; 1Thes 1,3; 2Thes 1,11; 2Tim 1,3). Das Gebet war für Paulus nicht nur wichtig, sondern absolut unentbehrlich.

Paulus wusste: Gebet ist kein Luxus, sondern eine Notwendigkeit; und ein Christ, der nicht betet, wird allmählich kraftlos werden, sein geistliches Wahrnehmungsvermögen wird nachlassen und schließlich sogar versagen. Jesus sagte seinen Jüngern, dass „sie immer beten sollten, ohne sich entmutigen zu lassen“ (Lk 18,1; NeÜ). Sie sollten also nicht müde werden, dem Bösen nicht nachgeben und nicht feige sein. Christen, die nicht beten, werden nicht nur müde im Dienst für Gott, sondern sie resignieren auch, bis sie schließlich ganz aufgeben. Für sie ist es einfacher, Versuchungen nachzugeben und zu schweigen, wenn sie die Gelegenheit haben, ein Zeugnis zu sein. Kein ermutigendes Bild, oder?

Dennoch argumentieren manche: „Aber ich bete doch den ganzen Tag über! Ich muss mir nicht unbedingt jeden Tag die Zeit nehmen, um mich mit Gottes Wort zu beschäftigen und zu beten." Das sind alles trügerische Auswirkungen unserer Fast-Food-Gesellschaft, die sich damit rühmt, alles im Vorbeigehen zu bewältigen.

Betest du wirklich „den ganzen Tag über"? Wenn ja, dann tue es auch weiterhin; aber bedenke, dass „Beten ohne Unterlass" (1Thes 5,17) nicht eine feste Gebetszeit ausschließt, ebenso wenig wie ein schneller Gute-Nacht-Kuss die wertvolle Zeit mit einem Kind ersetzen kann. Hast du jemals eine ganze Nacht hindurch gebetet oder gar eine ganze Stunde lang? „Konntest du nicht eine Stunde wachen?", fragte Jesus seinen Jünger Petrus. „Wacht und betet, damit ihr nicht in Versuchung kommt!" (Mk 14,37-38). Auch Nehemia sandte häufig Stoßgebete nach oben, aber ebenso warf er sich auch oft nieder und weinte und schrie zu Gott (siehe Neh 1).

Wenn das Gebet keinen wichtigen Stellenwert in deinem Leben hat, bekenne dies dem Herrn und bitte ihn um Hilfe, dass du dir täglich dafür Zeit nimmst – *und dann tue es auch!*

Warum bete ich?

Menschen beten aus guten und weniger guten Gründen. Manche beten stundenlang, nur um von Menschen gesehen und wegen ihrer Frömmigkeit gelobt zu werden (siehe Mt 6,5; 23,14). Jesus nannte das nicht Frömmigkeit, sondern Heuchelei. Charles Haddon Spurgeon sagte einmal: „Manche Menschen *wachsen,* wenn sie beten, und manche *blähen sich nur auf.*“ Außerdem sagte er seinen Studenten, dass lange Gebete in der Öffentlichkeit oft nur dazu führten, dass im „stillen Kämmerlein“ weniger gebetet würde. Jesus starb nicht am Kreuz, damit wir andere mit unseren Gebeten beeindrucken könnten.

Dann gibt es noch Menschen, die nur beten, weil sie etwas von Gott wollen. Ihre Gebetslisten sind, besonders in Notzeiten, voll von „Gib-mir-Forderungen“. Nach einem heftigen Sturm trafen sich einige benachbarte Bewohner in einer Stadt in Florida, um das entstandene Chaos aufzuräumen. Einer der beteiligten Männer meinte: „Ich schäme mich nicht, zuzugeben, dass ich letzte Nacht wirklich ernsthaft gebetet habe.“ Unter den Nachbarn war ein gläubiger Christ. Er sagte zu seiner Frau: „Ich wette, Gott hat in dieser Nacht viele unbekannte Stimmen gehört!“ Es ist tatsächlich so, dass Gott seinen Kindern die Möglichkeit des Gebets geschenkt hat, damit sie ihm ihre Bedürfnisse sagen können. Aber Gebet bedeutet viel mehr, als dem Herrn nur unsere „Wunschliste“ vorzulegen.

Warum betete Paulus? Der Ausdruck „deshalb“ in Epheser 3,14 führt uns zu dem ersten Vers im gleichen Kapitel, wo es heißt: „deswegen“ (3,1). Er ist sozusagen der Abschluss von Kapitel 2: *dem Bau der Gemeinde* (siehe 2,19-22). Hier möchte ich den weisen Rat von Robert Law zitieren: „Sinn und Zweck des Gebets ist nicht, dass Menschen ihren Willen auf dieser Erde bekommen, sondern dass Gottes Wille auf dieser Erde geschieht.“ Jesus sagte:

„Ich werde meine Gemeinde bauen“ (Mt 16,18), und *ein Grund für Gebet ist, dass Gott durch uns und in uns wirken möchte, damit Jesus seine Gemeinde bauen kann.*

Der Epheserbrief entfaltet die Lehre über die Gemeinde Jesu Christi. Paulus gebraucht dafür verschiedene Bilder: das eines menschlichen Körpers (siehe 1,23; 2,16; 3,6; 4,4.12.16.25; 5,23.30), das eines Gebäudes (siehe 2,21), das einer Braut (siehe 5,22-33), das einer Familie (siehe 3,15) sowie das einer Armee (siehe 6,10-18). Beim Beten sollte ich mich daher fragen: „Wird Gottes Gemeinde in dieser Welt gebaut, wenn er mir meine Bitte erfüllt? Wird dadurch der Leib Christi gestärkt und vergrößert? Wird unsere Liebe zu Christus dadurch tiefer? Werden dadurch alle seine Kinder Jesus Christus ähnlicher? Werden wir dadurch für den Kampf gegen die Feinde Christi gestärkt? Bete ich nur für meine Bedürfnisse und die meiner Freunde und Angehörigen, oder habe ich auch seine weltweite Gemeinde im Blick?“ Paulus erwähnt „die ganze Gemeinde“ (vgl. 2,21), „jede Familie“ (3,15; NeÜ) und den „einen Leib“ (4,4). Beten wir genau dafür? Wenn nicht, warum beten wir dann überhaupt?

Wie bete ich?

Paulus beschreibt in seinem Brief an die Epheser vier „Gebetshaltungen“: mit Christus in der Himmelswelt *sitzend* (2,6); *auf den Knien betend* vor dem Vater (3,14); täglich in Christus *wandelnd* (4,1.17; 5,2.8.15 (in neueren Übersetzungen wird hier das Wort *wandeln* mit *leben* oder *Leben führen* wiedergegeben); und in Christus dem Feind *standhaltend* (6,11.13-14). Unsere Stellung bzw. Haltung mit Christus im Himmel bestimmt auch unsere Vorgehensweise hier auf der Erde.

Eines Tages sah ich im Fernsehen eine Anhörung des amerikanischen Senats. Der verstorbene Hubert Humphrey[10] sagte: „Hier in Washington gilt: Da, wo man sitzt, bestimmt, wo man steht.“ Ohne es zu wissen, sprach Hubert Humphrey damit eine tiefgründige, geistliche Wahrheit aus. Wenn wir im Glauben unsere herrliche Stellung in Christus in Anspruch nehmen, wird unser Leben und unser Stand so sein, wie Gott es von uns erwartet; *jedoch ist das Verbindungsglied zwischen meiner himmlischen Stellung und meinem praktischen Leben auf dieser Erde meine kniende Haltung im Gebet vor meinem Vater.*

Das bedeutet aber nicht, dass nur das Gebet auf den Knien die richtige Haltung zum Beten ist. Abraham stand vor dem Herrn, als er Fürsprache für Sodom einlegte (siehe 1Mo 18,22); und die Einweihung des Tempels begann Salomo stehend im Gebet und beendete sie betend auf den Knien (siehe 1Kö 8,22,54). Esra und Daniel knieten sich hin, um zu beten (siehe Esr 9,5; Dan 6,10), David jedoch „saß vor dem Herrn“ (2Sam 7,18). Petrus und Paulus knieten beide zum Gebet (siehe Apg 9,40; 20,36; 21,5). Jesus kniete im Garten Gethsemane, um zu beten, und fiel dann auf sein Angesicht (siehe Lk 22,41; Mt 26,39). Unsere Herzenshaltung ist das, was zählt, denn wir müssen voll und ganz auf den Herrn ausgerichtet und ihm ergeben sein.

---

10 1911–1978; 38. Vizepräsident der Vereinigten Staaten (unter Lynden B. Johnson). (Anm. d. dt. Hrsg.)

Wie betete Paulus? Er betete als ein Kind Gottes, das sich dem Willen seines Vaters unterstellt, und wie ein Diener, der auf den Auftrag seines Herrn wartet. Zu jener Zeit war er ein Gefangener Roms, aber er erachtete sich als ein „Gefangener im Herrn" (Eph 4,1) und fügte sich deshalb ganz und gar im Gebet. Unser Herr selbst ist das beste Vorbild überhaupt, denn er betete: „Nimm diesen Kelch von mir weg! Doch nicht, was ich will, sondern was du willst!" (Mk 14,36). Wenn wir diese Haltung des Gehorsams und der Unterwerfung einnehmen, wird der Herr unsere Bedürfnisse erfüllen.

Wofür bete ich?

Paulus brachte vier Bitten vor den Vater, als er für die Gläubigen in Ephesus betete; und auch wir sollten uns diese Bitten zu Eigen machen, wenn wir für uns und andere beten.

Geistliche Stärke (Eph 3,16)

Hier ist das Problem die geistliche Schwäche. Ein Mensch hat neben den körperlichen Bedürfnissen für den äußeren Menschen auch geistliche Bedürfnisse für den inneren Menschen, und wenn wir beten, versorgt ihn der Heilige Geist „aus den herrlichen Reichtümern", die wir in Christus besitzen. Der innere Mensch braucht, ebenso wie der Körper, Nahrung, nämlich das nahrhafte Wort Gottes (siehe Mt 4,4). Gläubige müssen sich in der Gottesfurcht üben, ebenso wie ein Athlet trainieren muss, um in seiner gewählten Sportart leistungsfähig zu sein (siehe 1Tim 4,7-8). Ohne entsprechende Nahrung und Training kann kein Sportler in Wettkämpfen siegreich sein.

Jesus warnte seine Jünger: „Der Geist zwar ist willig, das Fleisch aber schwach" (Mt 26,41). Petrus meinte, er wäre stark genug, dem Feind entgegentreten zu können, und rühmte sich, niemals seinen Herrn zu verraten; aber trotz seiner guten Absichten versagte er kläglich. Auch wir werden versagen, wenn wir nicht darum bitten, dass „wir mit Kraft gestärkt werden durch seinen Geist" (Eph 3,16).

Geistliche Tiefe (Eph 3,17)

Nicht nur Schwachheit ist unser Problem, sondern auch Oberflächlichkeit. *Heutzutage leiden viele Gemeinden an einem Mangel von geistlicher Tiefe.* Da sich viele Prediger und Lehrer nicht an den Rat aus Sprüche 2,1-8 halten und nach verborgenen Schätzen graben, kratzen leider viele Lektionen und Predigten lediglich an der Oberfläche von Gottes Wort. Oftmals erinnern Lobpreisgottesdienste in Gemeinden an einen Kindergarten, wo sich die Teilnehmer selbst mit kindischem Verhalten und endlosen Wiederholungen bei Laune halten. A. W. Tozer hatte recht, indem er behauptete, dass das, was manche Menschen „ein tiefes Leben" nennen, objektiv gesehen nur tief erscheint, weil das Leben eines Durchschnittschristen so oberflächlich ist (*Keys to the Deeper Life*, S. 32).

Vance Havner behauptete einmal, man müsse schon seine Erwartungen herunterschrauben, um mit jemandem aus einer Durchschnittsgemeinde geistliche Gemeinschaft haben zu können. Die

Gemeinde Jesu Christi sollte anfangen, „auf die Tiefe hinauszufahren“ (siehe Lk 5,4) und „ein tiefes Fundament zu graben“. Jedoch begnügen sich die meisten Menschen damit, im Planschbecken herumzuspritzen und ihre Lebensgrundlage auf Treibsand zu bauen.

Paulus gebraucht in seinem Gebet drei Worte, die auf Tiefe hinweisen: *wohnen, gewurzelt* und *gegründet sein.* Das Wort „wohnen“ meint „zur Ruhe kommen und sich heimisch fühlen“. Jesus möchte nicht nur ein Gast unseres Lebens sein – er ist der Herr unseres Hauses. In 1. Mose 18 kann man eine interessante Feststellung machen: Der Herr kam in Abrahams Zelt und verbrachte dort einige Zeit; zu Lot kamen lediglich zwei Engel auf Besuch vorbei. Es scheint, als hätte sich der Herr bei Lot und seiner Familie in Sodom „nicht zu Hause gefühlt“. Fühlt Jesus sich in unseren Herzen „zu Hause“? Kann er das erfüllen, was er uns in Johannes 14,21-24 versprochen hat, nämlich, dass er und sein Vater bei uns Wohnung machen und dass er uns seine Liebe schenken will? Das ist es, was Jesus mit „einem tieferen Leben“ meint.

Paulus gebraucht auch das Wort „gewurzelt“ und erinnert damit an einen Baum, der seine Wurzeln tief ins Erdreich gräbt, um die Nährstoffe aufzusaugen und um standfest in jedem Sturm bestehen zu können. Im Urtext heißt es: „fest gewurzelt“ sein. Jesus sprach von oberflächlichen Menschen, und das finden wir auch heute noch bei vielen Namenschristen: Sie haben keine Wurzeln (siehe Mk 4,16-17). Wenn erst einmal die Sonne der Trübsal über sie kommt, werden sie verdorren und absterben, weil sie ohne Wurzelwerk sind.

„Gegründet“ hat mit Architektur zu tun und bezieht sich auf das Fundament eines Gebäudes. Das Fundament ist der wichtigste Teil eines Gebäudes, denn es legt Größe, Form, Stärke und Stabilität fest. Ein Architekt erklärte mir einmal: „Wenn man nicht tief gräbt, kann man auch nicht hoch bauen.“ Das ist eine ganze Predigt in einem einzigen Satz! Geistliche Stärke und Tiefe bekommen wir durch ein diszipliniertes und vertrauensvolles Gebetsleben.

Geistliche Perspektive (Eph 3,18-19)

Viele aufrichtige Gläubige haben nicht nur mit Schwachheit und Oberflächlichkeit zu kämpfen, sondern sie schlagen sich auch mit einer gewissen *Begrenztheit* herum. Ihre Vorstellung von Gottes Liebe ist einfach nicht groß genug. Den meisten von uns fällt es nicht schwer, für uns selbst, unsere Familien und Freunde oder für die Mitgeschwister aus unserer Gemeinde zu beten; aber wenn es um „alle Heiligen“ und das riesige Ausmaß von Gottes Liebe geht, sind wir sprachlos. Uns fehlt die richtige Perspektive, um die Menschen mit den Augen Jesu zu sehen – als eine große einzubringende Ernte oder wie eine Herde verirrter und hilfloser Schafe, die von falschen Hirten zur Schlachtung geführt wird (siehe Mt 9,36-38).

Wenn aber unsere geistlichen Wurzeln tief in Gottes Liebe gegründet sind und unser Fundament auf dieser Liebe ruht, werden wir sie in ihrer Größe begreifen und erfassen. Sobald das geschieht, wird sich unser Blick weiten, und wir werden alles daransetzen, eine verlorene Generation zu erreichen und seine weltweite Gemeinde aufzubauen.

Geistliche Erfüllung (Eph 3,19)

Nach Schwachheit, Oberflächlichkeit und Begrenztheit kommen wir nun zur *Leere.* Damit meine ich nicht leere Kirchen – obwohl es davon mittlerweile viel zu viele gibt –, sondern ich meine unerfülltes (fruchtloses) Leben von Menschen, die behaupten, Christen zu sein. In Epheser 5,18 finden wir den Ausdruck „vom Geist Gottes erfüllt" (NeÜ), d. h., „vom Geist geleitet und kontrolliert" und „überfüllt von Gottes Fülle" zu sein. Übergelaufen und nicht trocken gelaufen!

Vielleicht ist die Geschichte des Mannes bekannt, der den Auftrag bekam, das Schiff, welches auf Grund gelaufen war, an Land zu ziehen. Das Gewicht des Schiffes, der Wasserdruck und der Sog durch den Meeresgrund machten diese Aufgabe nahezu unmöglich. Aber der Mann schaffte es trotzdem. Bei Ebbe legte er Ketten unter und um das Schiff und befestigte sie an riesigen Schleppkähnen. Dann wartete er auf die Flut. Durch sie wurden die Schleppkähne angehoben, die dadurch wiederum das Schiff vom Meeresgrund hochhievten. Sobald es wieder schwamm, konnte es an Land gezogen werden.

Diese erstaunliche „Fülle Gottes" beginnt, wenn wir die Fülle seiner Liebe erleben. Natürlich werden wir niemals fähig sein, so sehr wie Gott zu lieben, aber seine Liebe kann uns kontrollieren und motivieren, denn „die Liebe Gottes ist ausgegossen in unsere Herzen durch den Heiligen Geist, der uns gegeben worden ist" (Röm 5,5). Liebe wird als erstes bei der „Frucht des Geistes" genannt, gefolgt von Freude, Friede, Geduld, Freundlichkeit, Güte,

Treue, Sanftmut und Selbstbeherrschung (Gal 5,22-23; NeÜ); dies alles kennzeichnet die Liebe (siehe 1Kor 13,4-7). Leben bringt Frucht hervor, und in der Frucht findet sich Samen, der wiederum neue Frucht produziert.

Damit kommen wir zum schwierigsten Punkt der Prüfung unseres Gebetslebens.

Bin ich bereit, meinen Teil zur Erhörung beizutragen?

Paulus beendet sein Gebet mit einer Danksagung, die Gottes Macht und Herrlichkeit herausstellt. Unser unendlicher Gott kann weitaus mehr tun als das, worum wir ihn bitten oder was wir uns vorstellen. Denn er verherrlicht sich, indem er das Unerwartete und Unmögliche tut. Aber der Kern der Danksagung ist die Aussage „gemäß der Kraft, die in uns wirkt" (Eph 3,20). Oftmals antwortet Gott auf unsere Gebete ohne unser Zutun, aber *oftmals auch, indem er in und durch seine Kinder wirkt.* Wenn wir beten, sollten wir auch bereit sein, Teil seiner Antwort zu werden.

Ich bin überzeugt, dass Mose während der 40 Jahre, in denen er als Hirte in Midian lebte, sehr oft für die versklavten Juden in Ägypten gebetet hat. Eines Tages erschien ihm Gott und berief ihn zurück nach Ägypten, um sein Volk zu befreien (siehe 2Mo 3). Dabei stellte Mose fest, wie man sehr schnell Teil der Antwort auf das eigene Gebet werden kann.

In Nehemia 1 und 2 lesen wir, dass Nehemias Bruder von einem Besuch aus dem Heiligen Land zurückkehrt. Nehemia fragt ihn nach der aktuellen Situation in Jerusalem. Anschließend ist er von dem entmutigenden Reisebericht so niedergeschlagen, dass er anfängt zu beten. Gott antwortet, indem er ihn nach Jerusalem beruft, um die Mauer wiederaufzubauen. Gott reagiert häufig auf unsere Gebete „gemäß der Kraft, die in uns wirkt“ (Eph 3,20).

Es *ist* ein großer Segen, wenn Gott unsere Gebete erhört, aber es ist ein noch größerer Segen, wenn wir *Anteil* an seinen erhörten Gebeten *haben.* Jesus sagte seinen Jüngern, dass sie den Herrn der Ernte bitten sollten, Arbeiter auszusenden (siehe Mt 9,37-38)! Echtes Gebet bedeutet nicht, dass wir dem Vater unsere Aufträge erteilen, sondern dass wir ihm unsere Nöte und Bedürfnisse sagen und anschließend seine *Aufträge entgegennehmen.*

Eine gläubige Familie betete einmal während ihrer Familienandacht für die dringenden Anliegen eines befreundeten Missionars. Nach dem „Amen“ des Vaters sagte einer seiner Söhne: „Papa, wenn ich deine Kreditkarte hätte, könnte ich deine Gebete erhören.“ Aus dem Munde der Säuglinge …! Der Junge wollte unbedingt zur Erhörung des Gebets beitragen.

Alles das, was wir nun über Gebet gelernt haben, soll dazu führen, dass wir:

» von Ziellosigkeit zur Zielorientierung – dem Bau seiner Gemeinde – gelangen,
» von unserem „Nein“ zu Gottes Willen zu einem bewussten „Herr, dein Wille geschehe …“,

- von Zurückgezogenheit zur Gemeinschaft mit allen Heiligen,
- von Armut zum Reichtum,
- von Schwachheit zur Kraft,
- von Oberflächlichkeit zur Tiefe,
- von Begrenztheit zur bewussten Erkenntnis über Gottes Liebe,
- von Leere zur Fülle,
- vom Zuschauerstandpunkt zum aktiven Teilnehmer werden.

Und das alles zu Gottes Ehre.

Teil V

Die Freude des Gebets

Sende dein Licht und deine Wahrheit;
sie sollen mich leiten, mich bringen zu
deinem heiligen Berg und zu deinen Wohnungen.
So werde ich kommen zum Altar Gottes,
zum Gott meiner Jubelfreude,
und werde dich preisen auf der Zither,
Gott, mein Gott!
Psalm 43,3-4

Erfreue die Seele deines Knechtes!
Denn zu dir, Herr, erhebe ich meine Seele.
Denn du, Herr, bist gut und zum Vergeben bereit,
groß an Gnade gegen alle, die dich anrufen.
HERR, höre mein Gebet!
Horche auf die Stimme meines Flehens!
Psalm 86,4-6

Und immer, wenn ich Gott bitte,
bete ich auch mit Freude für euch.
Philipper 1,4 (NeÜ)

Bis jetzt habt ihr nichts gebeten in meinem Namen.
Bittet, und ihr werdet empfangen,
damit eure Freude völlig sei!
Johannes 16,24

21.

Zutritt zum Thron der Gnade

Wenn wir beten, treten wir laut Hebräer 4,16 vor den „Thron der Gnade". Dementsprechend wollen wir uns noch näher mit diesem Bild beschäftigen.

Der „Thron" ist ein Bild für Autorität, und „Gnade" steht für Großzügigkeit. Wir verneigen uns vor dem König auf dem Thron, aber da er ein gnädiger König ist, dürfen wir frei zu ihm reden und unsere Hände vertrauensvoll zu ihm ausstrecken, um seine Gaben entgegenzunehmen. Ein Thron repräsentiert Gesetz und Wahrheit; da unser Gott uns durch und durch kennt, könnte er uns also verurteilen. Aber Gott gibt uns in seiner Gnade das, was wir niemals verdienen, und in seiner Barmherzigkeit gibt er uns das nicht, was wir eigentlich verdient hätten. Was für ein Thron!

Autorität und Großzügigkeit; Gesetz und Gnade; Wahrheit und Gnade; Wahrheit und Barmherzigkeit: Haben wir es hier nicht mit einem Paradoxon, einem Widerspruch und unmöglichen Gegensatz zu tun?

Ja und nein zugleich, denn dieser scheinbare Widerspruch fordert unseren Glauben und unsere

Gefühle heraus. Wenn wir beten, müssen wir in unseren Herzen die Großartigkeit von Gottes heiliger Autorität und den Segen seiner großzügigen Gnade in der Waage halten. „Dient dem HERRN mit Furcht, und jauchzt mit Zittern!" (Ps 2,11). Bedenke das!

Trotzdem gibt es vor dem Thron der Gnade keinen unvereinbaren Widerspruch. Warum nicht? Weil auf diesem Thron die Gnade durch Gerechtigkeit herrscht (siehe Röm 5,21). Der stellvertretende Opfertod Jesu am Kreuz hat die Rechtsansprüche von Gottes heiligem Gesetz voll und ganz erfüllt. Sünde und Tod regieren zwar noch in dieser Welt (siehe Röm 5,14.17.21), aber auch Gottes Gnade herrscht von diesem Thron her, sodass wir durch Christus „im Leben herrschen" können (Röm 5,17). „Denn das Gesetz wurde durch Mose gegeben; die Gnade und die Wahrheit ist durch Jesus Christus geworden" (Joh 1,17).

Wenn wir also im Geist beten, nehmen wir aktiv Anteil an den „Thronrechten" des Erlösers. Wir kommen in seinem Namen, d. h. in seiner Autorität, und bitten um das, um was auch er bitten würde. Aufgrund dieses Privilegs dürfen wir kühn und freimütig mit dem Vater sprechen, wie es auch Jesus während seines Erdenlebens tat.

Darum „funktioniert" dieses scheinbare Paradoxon. Wir „jauchzen mit Furcht und Zittern", weil wir vor dem Thron zittern und gleichzeitig über Gottes Gnade „jauchzen".

Zunächst wollen wir uns fragen, was es bedeutet, „dem Herrn zuzujauchzen“ bzw. „zuzujubeln“, und darüber nachdenken, wer er ist, was er sagt und was er tut.

Beim Beten sollte die Gemeinschaft mit Gott unsere größte Freude sein. Wir sollten uns über den Geber freuen, und nicht über die Gaben. Wenn Gott unsere größte Freude ist, dann gleicht unser Gebet eher einer Liebesbeziehung als einem Handelsgeschäft. Wir gehen wie der Psalmist fröhlich „zum Altar Gottes, zum Gott meiner Jubelfreude“ (Ps 43,4).

Wenn Gott aber nicht die höchste Freude unseres Lebens ist, werden unsere Gebete zur Routine oder egoistisch, wahrscheinlich sogar beides. Zur Routine deshalb, weil sie herzlos sind, und herzlos, weil wir beim Beten keine brennende Freude mehr am Herrn empfinden. Wenn Beten nur noch als religiöser Zwang empfunden wird, wird er zur bloßen, täglichen Pflichterfüllung, um unsere Gelübde einzuhalten und unser Gewissen zu beruhigen. „Sobald Religion ihre Einzigartigkeit einbüßt und nur noch Form ist“, schrieb A.W. Tozer einmal, „geht ihre Spontanität ebenfalls verloren; Religion wird durch Tradition und Korrektheit durch Anordnungen ersetzt – es entsteht eine Karteileichen-Mentalität“ (*Of God and Men,* S. 79).

Das ist das Problem von religiösen „Paragrafenreitern“. Sie legen so viel Wert darauf, ihre Routine einzuhalten und alle Bitten vorzutragen, dass sie dabei vergessen, ihren Schöpfer anzubeten und ihre Liebe zu ihrem himmlischen Vater auszusprechen.

Unsere oberste Priorität beim Beten sollte die Anbetung des Herrn sein sowie der Dank für das Privileg der Gemeinschaft mit ihm. Kurz gesagt, Gebet ist keine gebetsmühlenartige Aneinanderreihung von endlosen Bitten. Das Gebet ist eine freudige Beziehung zwischen Gotteskindern und ihrem himmlischen Vater, die mit jedem Tag immer tiefer wird.

Was immer wir beten, es sollte unsere Herzen erfreuen. Ein reumütiges Gebet bringt Freude über Vergebung (siehe 1Jo 1,9; Ps 32; 51,8); ein Hingabegebet und Danksagung resultieren in Freude über Gottes Nähe (siehe Ps 43,4; Hab 3,18). Wenn wir uns im Gebet dem Willen Gottes unterstellen, wird er uns mit Freude beschenken (siehe Lk 1,46-49; 10,21). Wenn wir uns wegen unserer Nöte und Bedürfnisse an den Herrn wenden und sie ihm anbefehlen, erfreut er uns, indem er verspricht, sich selbst darum zu kümmern (siehe Ps 94,19; 1Petr 5,7). Beim Nachdenken über Gottes Wort und beim Forschen nach dessen herrlichen Wahrheiten werden unsere Herzen fröhlich (siehe Ps 19,8; 119,14.162). Es können sehr wohl Tränen über Nöte in unseren Gebeten fließen, aber der Herr hat versprochen, unsere Tränen in Freude zu verwandeln (siehe Joh 16,20-24).

Vergiss nie, dass unsere Liebe zu Gott der Hauptgrund für das tägliche Gebet und das Nachdenken über Gottes Wort sein soll, und dass wir ihm erlauben, uns zu lieben – *das bedeutet auch, dass wir seinen Willen akzeptieren und trotzdem zufrieden damit sind.* Dann wird es dem Feind schwerfallen, uns in Versuchung zu führen.

„Mit Zittern jauchzen“

In Psalm 2,11 fordert uns Gott auf, „mit Zittern zu jauchzen“. Ehrfurcht und Respekt sollten mit unserer Freude im Gleichgewicht stehen, und unsere Freude sollte mit Ehrfurcht und Respekt ausgeglichen sein. Wären wir voll und ganz von Ehrfurcht ergriffen, würde uns das die Stimme versagen lassen; manchmal ist das aber auch die einzig angemessene Reaktion (siehe Hi 40,1-5; Röm 3,19). Würden wir uns hingegen vor Freude überschlagen, ließe uns das als Narren erscheinen. Über eine persönliche Audienz bei einem Staatsoberhaupt, einem berühmten General oder einem hervorragenden Gelehrten würden wir uns gewiss sehr freuen und uns geehrt fühlen; trotzdem würden wir auch unseren Respekt zeigen wollen und uns angemessen ihnen gegenüber verhalten. Angenommen, man stellte mir Albert Einstein vor, ich würde ihm bestimmt nicht auf die Schulter klopfen und „Grüß dich, Al!“ sagen.

Die Schrift warnt uns davor, „kumpelhaft“ mit Gott umzugehen: „Das hast du getan, und ich schwieg; du dachtest, ich sei ganz wie du. Ich werde dich zurechtweisen und es dir vor Augen stellen“ (Ps 50,21). Eine Schauspielerin, die sich als Christ bezeichnete und Gott einen „lieben Kerl“ nannte, muss noch viel lernen; ebenso wie jene, die Gott verniedlichen und ihn als „den alten Mann da oben“ titulieren. David sagt darüber Folgendes: „Gott wird mich hören und macht sie vor mir klein, er, der seit Ewigkeiten herrscht. Sie wollen sich nicht ändern und nehmen Gott nicht ernst“ (Ps 55,20; NeÜ).

Vielleicht denkst du jetzt: *Sagt nicht der Heilige Geist in uns „Abba, Vater", welches ein Ausdruck von inniger Vertrautheit ist?* Das ist wohl richtig gemäß Römer 8,15 und Galater 4,6. Als der Herr Jesus im Garten Gethsemane betete, sprach er „Abba, Vater" (siehe Mk 14,36). Das Wort *Abba* – *Papa* – meint hier nicht eine Gegenüberstellung von Vertrautheit und Distanz, sondern von Vertrautheit und großer Angst, etwa eines Sklaven oder eines unsicheren Kindes (siehe Röm 8,15-16). Gott möchte zwar Vertrautheit, aber keine Unverschämtheit, besonders dann nicht, wenn wir öffentlich beten. Charles Spurgeon sagte einmal: „Vertraulichkeit ist gut, dann aber eine heilige Vertrautheit; Kühnheit ebenso, aber dann Kühnheit, die aus der Gnade entsteht, welche der Heilige Geist wirkt ... der Mut eines Kindes, das sich fürchtet, weil es liebt, und das liebt, weil es sich fürchtet." Beim letzten Abendmahl lehnte sich der Apostel Johannes vertraulich an Jesu Seite, als er aber Jesus auf der Insel Patmos sah, fiel er wie tot zu Boden (siehe Offb 1,17).

Würde man mich zu einem Treffen mit einer berühmten Persönlichkeit einladen, so würde ich mich entsprechend vorbereiten und pünktlich erscheinen. So sollte es auch sein, wenn wir mit Gott reden. Hier meine ich nicht die spontanen Gebete, die wir oftmals am Tag wie E-Mails zu seinem Thron senden. Ich meine die tägliche, längere Zeit, die für Gott bestimmt ist und die mit Anbetung und Gebet gefüllt ist. *Wenn wir uns keine Zeit nehmen, um „heilig" zu werden, kann es durchaus sein, dass jene „E-Mail-Gebete" nicht zum Himmel aufsteigen.* Denken wir an den verzweifelten Mann aus dem Gleichnis (siehe Lk 11,5-8), klopfen wir bei dem Herrn doch nicht nur in Notzeiten an. Jeden Tag verbringen wir Zeit mit ihm, und wenn Nöte kommen, brauchen wir nicht in Panik zu geraten.

Die Disziplin des Gebets

Gebet macht Freude, aber es braucht auch Disziplin. Der Vers „Haltet fest am Gebet“ (Kol 4,2) meint: „ausdauernd beten, nicht nachlassen, sich nicht davon abbringen lassen, davon abhängig sein“. Den gleichen Ausdruck finden wir in Römer 12,12: „… im Gebet haltet an“. Das nennt man Disziplin.

Für jemanden, der in einem „gesetzlichen“ Elternhaus aufgewachsen ist oder eine Schule besucht hat, die die sofortige und strenge Bestrafung ungehorsamer Schüler („Zucht und Ordnung“) praktiziert hat, mag das Wort *Disziplin* befremdend klingen. Zu Recht setzen sie das Leben als Christ mit „Freiheit“ gleich, aber es gibt auch Menschen, die dazu neigen, 2. Korinther 3,17 aus seinem Zusammenhang zu nehmen, um damit ihre eigene Gleichgültigkeit zu rechtfertigen. Leider verstehen diejenigen, die ihre Freiheit im Geist fordern, nicht, warum festgesetzte Zeiten des Gebets und der Anbetung sowie ein Plan für eine persönliche Stille Zeit notwendig sind.

Dennoch ist *Disziplin* etwas Positives und eine gute christliche Gepflogenheit. Die englischen Worte *discipline* (Disziplin) und *disciple* (Jünger) stammen aus dem Lateinischen und bedeuten „Anweisung“. Somit ist ein *Jünger* im Neuen Testament ein „Lernender“. Disziplinarische Maßnahmen gehören zum Lernen nun einmal dazu;

allerdings liegt hier die Betonung auf Belehrung, Tadel, Korrektur und Belohnung. Wir würden in der Tat ohne Disziplin nur sehr wenig lernen, und unsere Gesellschaft wäre um einiges ärmer an ausgezeichneten Musikern, Athleten, Gelehrten oder anderen Spezialisten, angefangen bei den Architekten bis hin zu den Zoologen.

Disziplin ist nicht das Ende von Freiheit; im Gegenteil: Disziplin führt zur Freiheit und fördert sie. Der Psalmist sagt in Psalm 119,45: „Ich führe mein Leben in Freiheit und Glück, weil ich deine Ordnungen erforsche“ (Hfa). Menschen, die diszipliniert lernen und ein Gespür für die Tonleiter in der Musik haben, haben die Möglichkeit, ihre Gabe zu entfalten und wunderschöne Musik zu machen. So, wie ein Fluss ein Ufer braucht, um nicht zu einem Sumpfgebiet zu werden, so verhält es sich mit Disziplin und Gaben.

Damit ein Athlet erfolgreich sein kann, gehört er unter die Obhut von großartigen Trainern, die Disziplin von ihm einfordern. Sobald bei Athleten die Regeln und Prinzipien der Sportart in Fleisch und Blut übergegangen sind, werden sie gewiss trainieren – etwas, das dem Rest der Menschheit wahrscheinlich schwerfallen würde, sofern sie es überhaupt wollten! Der Heilige Geist hilft uns, einen Ausgleich zu finden zwischen Disziplin und Freude, Freiheit und Ordnung, geplanten bzw. spontanen Aktivitäten, Demut und Jubel. Jede Stunde, die wir mit unserem Herrn verbringen, wird uns helfen, im Laufe des Tages bessere „Gebets-E-Mails“ zum Himmel zu senden.

Was tun wir und warum?

Hier nun eine paar Grundgedanken für deine tägliche Verabredung mit dem Herrn:

» Wähle am besten eine Zeit, in der du gedanklich und körperlich am aufnahmefähigsten bist. Suche einen Ort, wo du ungestört sein kannst.
» Du brauchst deine Bibel.
» Ein Notizbuch, um täglich Gebetsanliegen, erhörte Gebete und entdeckte Wahrheiten aus Gottes Wort aufzuschreiben.
» Einen Gebetskalender einer Missionsgesellschaft, die Gott dir aufs Herz gelegt hat, damit du sie im Gebet (und eventuell auch finanziell) unterstützen kannst.
» Ein Herz, das bereit ist, Gott anzubeten, ihn in seinem Wort zu suchen, zu beten und in der Stille auf ihn zu warten.

Man kann sagen, dass deine tägliche Stille Zeit sowohl das Thermostat als auch das Thermometer deines geistlichen Lebens ist. Wenn du sie am liebsten aufschieben, schnell erledigen und abhaken oder (Gott bewahre!) ausfallen lassen möchtest, wirst du sicher in ernsthafte geistliche Schwierigkeiten kommen. Satan wird raffinierte Methoden finden, dich dazu zu bringen, diese Zeit kurz zu halten. Dann ist es wichtig, den Herrn um Hilfe zu bitten, diese besondere Zeit mit ihm zu bewahren.

Die Haupttaktik des Feindes besteht darin, uns so beschäftigt zu halten, dass uns die Zeit unter den Händen wegläuft und wir keinen Moment zum Beten mehr finden. Obwohl Jesus so viel zu tun hatte, stieg er frühmorgens auf, um zu beten (siehe Mk 1,35); egal, wie groß die Volksmenge war, die seine Hilfe brauchte, suchte er dennoch die Einsamkeit zum Gebet (siehe Mt 14,22-23). Wenn wir keine Zeit zum Beten haben, sind wir zu beschäftigt und sollten uns überlegen, welche Dinge wir aus unserem Leben streichen müssen.

Beginne deine Stille Zeit damit, über seine Barmherzigkeit nachzudenken, und danke ihm für alles, was er ist, tut und schenkt. Eventuell kannst du dich mit einer biblischen Wahrheit oder einem geistlichen Lied beschäftigen. Oder sogar eines selbst singen! Jeder muss für sich entscheiden, wie er diese besondere Zeit beginnt, aber immer … IMMER … sollte Jesus Christus im Mittelpunkt stehen, damit er verherrlicht wird.

Der HERR, dein Gott, ist in deiner Mitte,
ein Held, der rettet;
er freut sich über dich in Fröhlichkeit,
er schweigt in seiner Liebe,
er jauchzt über dich mit Jubel.

Zefanja 3,17

Wenn dein Herz vor Gott zur Ruhe gekommen ist und er vor dir steht, kannst du deine Bibel aufschlagen und das lesen, was er dir für diesen Tag sagen möchte. Ich habe für mich festgestellt, dass ein Bibelleseplan mit Stellen aus dem Alten und Neuen Testament hilfreich ist. Andere wiederum finden es gut, mit 1. Mose 1, Psalm 1 und Matthäus 1 fortlaufend zu beginnen, um sich mit der Bibel nach ihrem eigenen Tempo zu befassen. Du musst kein ganzes Kapitel jeden Tag lesen. Vielleicht ist es nur ein Vers oder ein Absatz, der dir etwas zu sagen hat, aber so kannst du nach deinem Tempo systematisch lesen. Wenn du die Querverweise ebenfalls aufschlägst und liest, machst du über „Umwege" segensreiche Entdeckungen kreuz und quer durch die Schrift.

Das hier ist kein Marathon, es geht darum, einfach auf den Herrn zu hören. Du musst auch keine bestimmte Anzahl von Versen lesen. Jeder Tag ist neu und anders, der Heilige Geist zeigt uns jeden Tag, welcher Vers für uns gerade dran ist. Möglicherweise drängt er dich auch dazu, beim Lesen einmal innezuhalten, nachzudenken und über das zu beten, was das Wort dir deutlich gemacht hat. Sei gehorsam. Wenn der Herr dir geistliche Kostbarkeiten zeigt, schreibe sie in dein Notizbuch. Eines Tages wirst du sie jemandem in einem persönlichen Zeugnis weitergeben können.

Gebetslisten

Viele Gläubige finden Gebetslisten hilfreich, aber wir sollten darauf achten, dass wir nicht gedankenlos Menschen und Bitten „herunterbeten". Auch hier solltest du dich vom Herrn leiten lassen, aber sei gewissenhaft in deinem Gebetsleben. Ich habe für jeden Tag eine Liste mit Anliegen, für die ich bete, sowie eine kürzere Liste für jeden einzelnen Wochentag. Manchmal mache ich es wie Paulus und „erwähne" Menschen in meinen Gebeten; und ein anderes Mal bete ich für bestimmte Menschen und deren Bedürfnisse intensiver. Gewöhnlich schiebe ich das Gebet zwischen das Bibellesen und das Nachdenken über Gottes Wort; trotzdem müssen wir unsere Gebete nicht auf das beschränken, was auf unserer Liste steht. Wir sollten dem Heiligen Geist erlauben, uns an Nöte zu erinnern, und ihm gehorchen, wenn er zu uns spricht. Vergiss nicht: Unsere Bitten sollten nicht zur Routine werden, Gebet ist eine liebevolle Beziehung zwischen dir und dem Herrn. Während wir den Ablauf unserer Stillen Zeit gestalten, ist es trotzdem wichtig, offen für das Spontane und Unerwartete zu sein.

Unmöglich können wir für jede Person jeder Missionsgesellschaft beten, darum sollten wir den Herrn bitten, uns zu zeigen, für wen und für welches Anliegen wir beten sollen. Überprüfe deine Gebetslisten zwei- oder dreimal jährlich; das gilt auch für dein Gebetsleben. Ist deine Liste zu lang geworden, um intensiv für deine notierten Anliegen zu beten, dann gleicht dein Gebet wahrscheinlich nur noch einem Aufzählen von Namen und ist damit keine geistgeleitete Fürbitte mehr.

Ich habe es einmal erlebt, dass ich über einen längeren Zeitraum intensiv für eine Sache gebetet habe, bis der Herr mich langsam „entwöhnte", weiter über dieses Anliegen zu beten. Damit konnte ich es an den Herrn abgeben und mich einer andere Sache zuwenden. Du brauchst kein schlechtes Gewissen zu haben, wenn du einen Punkt von der Liste streichst. Achte nur darauf, dass es aus den richtigen Motiven geschieht und vom Herrn geführt ist.

Im Laufe der Jahre wurde es meiner Frau und mir wichtig, für verschiedene Missionsgesellschaften zu beten und sie finanziell zu unterstützen. Daher benutze ich gern deren Gebetskalender, weil einige von ihnen ausgezeichnet gemacht sind. Dort werden die Namen der Mitarbeiter aufgeführt (wenn es für sie keine Gefahr darstellt), ihr Aufenthaltsort, ihre Aufgaben sowie ihre Bedürfnisse. Ich mag konkrete Gebetsanliegen. Keine Ahnung, wie man für allgemeingehaltene Probleme der „Mädchen-Basketballgruppe“ beten soll, oder nach dem ALL-DIE-Prinzip („Bewahre ALL-DIE, die …“). Ich bin verwirrt über hübsch aufgemachte Bücher mit andächtigen Sprüchen für den Tag anstelle von konkreten Bitten.

Da ich bereits mit vielen internationalen Missionsgesellschaften im Laufe der Jahre zu tun hatte, weiß ich, wie schwierig es ist, jeden Monat Gebetskalender herauszubringen. Dennoch sollte das die Autoren nicht daran hindern, täglich besondere Belange niederzuschreiben. Der Hinweis „Die Jahreskonferenz in Spanien findet vom 10. bis zum 15. Mai statt“ sagt mir klar und deutlich, wo und wann die Konferenz stattfindet; da ich Erfahrungen mit Konferenzen habe, weiß ich, dass ich dafür in dieser Woche besonders ausdauernd beten muss. Sollte ein Treffen kurzfristig abgesagt werden, ohne dass der Schriftleiter es noch rechtzeitig korrigieren kann, bin ich mir dennoch bewusst, dass Gottes Geist dies alles bereits weiß und unsere Gebete entsprechend lenken wird (siehe Röm 8,26-27). Gebetskalender sollen uns auf

„Hilfeschreie aus Schützengräben" hinweisen und nicht irgendwelche „blumigen Gedanken" aus einer schöngeistigen Literatur enthalten.

Andachtsbücher

Möchtest du ein Andachtsbuch bzw. ein anderes christliches Buch für dein geistliches Wachstum nehmen, dann empfehle ich dir, es *nach* dem Bibellesen, dem Nachdenken über Gottes Wort und dem Gebet zu lesen. Selbst das beste Buch kann Gottes Wort nicht ersetzen. Schließlich sollten dir die von Gott persönlich gegebenen „kostbaren Edelsteine" aus der Bibel bedeutsamer werden als das, was du in anderen Büchern zu finden glaubst.

Ich empfehle gern gute christliche Bücher, die bereits längere Zeit – vielleicht sogar seit Jahrhunderten! – auf dem Markt sind. Gott leitet uns „auf Pfaden der Gerechtigkeit" (Ps 23,3). Das Wort „Pfad" meint hier „ausgetretene oder eingefahrene Wege oder Spuren". Sei auf der Hut vor solchen Autoren, die meinen, sie hätten neue Wahrheiten erkannt, die zuvor noch nie ein Mensch entdeckt hat. Wahrscheinlich haben sie nicht gründlich genug recherchiert. Diese sogenannten „ausgetretenen Pfade" führen auch bei dir und mir zu einem geheiligten Leben, denn sie wurden bereits von Patriarchen, Propheten, Aposteln, Märtyrern, Kirchenvätern und gottesfürchtigen Männern und Frauen jeden Alters „beschritten und ausgetreten".

Klassiker wie z. B. *Das Buch von der Nachfolge Christi* von Thomas à Kempis, *Confessiones (Bekenntnisse)* von Augustinus, *The Practice of the*

Presence of God (Leben in Gottes Gegenwart) von Bruder Lorenz, *Die Pilgerreise* von John Bunyan sowie *A Serious Call to a Devout and Holy Life* (dt. etwa *Ein ernster Aufruf zu einem heiligen und frommen Leben*) von William Law gehen alle in diese Richtung. Natürlich gibt es auch einige hilfreiche „moderne Klassiker" wie z. B. *Gott erkennen* von J. I. Packer, *Das Wesen Gottes* und *Gottes Nähe suchen* von A.W. Tozer, *Sehnsucht nach Gott* von John Piper sowie *A Testament of Devotion* (dt. etwa *Ein Zeugnis von Hingabe*) von Thomas Kelly.

Selbstverständlich sollte alles, was wir lesen, anhand von Gottes Wort geprüft werden (siehe Jes 8,20); trotzdem kann ich auch von Menschen lernen, die in manchen Punkten von meiner Meinung abweichen. Es ist tatsächlich so, dass ich in meinem mehr als 50-jährigen Dienst festgestellt habe, dass Gott sogar die segnet, die nicht meiner Meinung sind! „Prüft aber alles, das Gute haltet fest. Von aller Art des Bösen haltet euch fern" (1Thes 5,21-22).

Es ist wichtig, dass du meine Vorschläge deinem eigenen geistlichen Leben und deinen Bedürfnissen anpasst. Bedenke aber bitte, dass diese Vorgehensweise unmöglich in zehn Minuten hektischen Lesens „gepackt" werden kann. Nimm dir Zeit, um „heilig zu werden". Wenn der Gedanke einer „disziplinierten Stillen Zeit" neu für dich ist, dann beginne mit wenigen Minuten und steigere dann die Zeit. Beginne mit zehn oder fünfzehn Minuten, aber steigere sie allmählich. Nimmt unser geistlicher Appetit erst einmal zu, brauchen wir mehr von Gottes Wort und Gebet, sonst werden wir nicht satt.

Beständig in einem heiligen Austausch stehen

Das Leben als Christ gleicht einem Abenteuer, und wir sollten auf den ausgetretenen Pfaden unserer Vorgänger bleiben. Das bedeutet nicht, dass unser Leben festgefahren sein muss! Immer wieder kann man neue Wahrheiten entdecken, neue Glaubensschritte gehen, neue Lasten tragen, neue Kämpfe ausfechten und neue Segnungen, die wir mitteilen dürfen, empfangen. Paulus nannte es „das Wandeln in der Neuheit des Lebens" und „das Neue des Geistes" (siehe Röm 6,4; 7,6, wörtl. Übersetzung).

Halte dir das Bild vor Augen, während du, mit Gott an deiner Seite (sein Heiliger Geist wohnt in dir), deinen Weg gehst und er mit dir spricht. Wenn du mit ihm in Beziehung stehst, möchtest du dich mit ihm unterwegs austauschen. Er spricht zu dir durch sein Wort, und du hörst genau hin. Du sprichst mit ihm im Gebet und weißt, dass er dich hört. Dieser Weg oder Pfad der Disziplin (oder Jüngerschaft) mag ausgetreten erscheinen, und trotzdem ist der Dialog zwischen Gottes Wort und deinem Gebet einzigartig und sehr persönlich. Das ist der Wesenszug der „Neuheit" deines „Lebens" und deines „Geistes".

So … das war's: Ende des Buches! Bleibe am Ball!

Vom selben Autor erhältlich

Wiersbe-Kommentar AT und NT

Warren Wiersbe hat ein praktisches Anliegen: Er möchte die Bücher der Bibel gläubigen Christen auf eine Weise nahebringen, die sie auf das Wesentliche für ihr persönliches Glaubensleben stoßen lässt. Durch seine lebensnahen Ausführungen zu den biblischen Ereignissen, Schlüsselbegriffen und Personen gelingt es dem erfahrenen Bibelausleger und Gemeindepastor, eine Brücke aus längst vergangener Geschichte zum heutigen Leser zu schlagen. Dieser erlebt auf eindrucksvolle Weise, wie die alten Texte in sein Leben hineinsprechen und ihm Weisung geben für ein Leben, das Gott gefällt.

In seinen Kommentaren geht Warren Wiersbe immer nach demselben Muster vor:

1. Berücksichtigung eines übergeordneten Themas
2. Übersichtliche Gliederung des bibl. Buches und des Kommentars
3. Berücksichtigung aller Bibeltexte bei der Kommentierung
4. Arbeitsteil mit Fragen zu jedem Kapitel
5. Umfangreiche Anmerkungen zu Details / Hintergründen

Nicht nur Bibelgelehrte, Gemeindeleiter und Mitarbeiter, sondern auch einfache Bibelleser kommen auf diese Weise zu einem tiefgehenden Verständnis sämtlicher Bücher der Bibel.

AT Band I
1. Mose bis Esther
Gb., 2352 S., 15 × 22,6 cm
Best.-Nr. 271346
ISBN 978-3-86353-346-5

AT Band II
Hiob bis Maleachi
Gb., 2016 S., 15 × 22,6 cm
Best.-Nr. 271347
ISBN 978-3-86353-347-2

NT Band I
Matthäus bis Apostelgeschichte
Gb., 1152 S., 15 × 22,6 cm
Best.-Nr. 271371
ISBN 978-3-86353-371-7

NT Band II
Römer bis Thessalonicher
Gb., 976 S., 15 × 22,6 cm
Best.-Nr. 271372
ISBN 978-3-86353-372-4

NT Band III
Timotheus bis Offenbarung
Gb., 936 S., 15 × 22,6 cm
Best.-Nr. 271373
ISBN 978-3-86353-373-1

Warren W. Wiersbe
AT
WIERSBE KURZKOMMENTAR
ZUM ALTEN TESTAMENT
Warren W. Wiersbe
NT
WIERSBE KURZKOMMENTAR
ZUM NEUEN TESTAMENT

James R. Adair (Hg.)
Erneuert
Durchs Jahr mit Warren W. Wiersbe

Auf der Suche nach leicht verständlichen und doch gehaltvollen Andachten wird man in diesem täglichen Begleiter viele Anregungen finden.

Jede der 366 erfrischenden Andachten

» beginnt mit einem Bibelvers,
» entfaltet ein damit zusammenhängendes Thema,
» bietet einen Vorschlag zur vertiefenden Bibellese
» und gibt Anregungen zur praktischen Anwendung.

Warren Wiersbes einzigartige Fähigkeit, Bibeltexte leicht verständlich zu erklären und Gläubige auf ihrem Weg durchs Leben zu unterstützen, kommt in diesem Andachtsbuch zur Geltung.

Gb., 384 S., 15 × 22,5 cm
Best.-Nr. 271900
ISBN 978-3-86353-900-9

Nick Tucker
Zwölf Dinge, die Gott nicht tun kann
Und warum wir deshalb besser schlafen können

Wie können wir Gott so vertrauen, dass wir nachts deshalb ruhiger schlafen können? Eine Antwort liegt in der Konzentration auf die Größe Gottes. Wenn wir darüber nachdenken, denken wir meist an das, was Gott tun kann. In diesem Buch werden jedoch zwölf Dinge beschrieben, die Gott nicht tun kann. Sie alle bringen Aspekte seines Wesens und Charakters zum Ausdruck, die uns dankbar, froh und ehrfürchtig werden lassen – und die uns entlasten. Beim Lesen werden Sie sowohl über Gottes Andersartigkeit staunen als auch darüber, wie er in der Person Jesu einer von uns geworden ist.

Pb., 160 S., 13,5 × 20,5 cm
Best.-Nr. 271877
ISBN 978-3-86353-877-4

Lydia Brownback
Gott in der Einsamkeit begegnen

Ob jung oder alt, alleinstehend oder verheiratet, männlich oder weiblich – irgendwann im Leben haben wir alle einmal mit Einsamkeit zu kämpfen. Wir versuchen, die Leere zu füllen oder unsere Lebensumstände zu ändern, um dem Schmerz zu entgehen. Aber was ist, wenn uns diese schmerzende Einsamkeit auf etwas Größeres hinweisen soll? Lydia Brownback betrachtet verschiedene Aspekte der Einsamkeit und erinnert uns an Gottes Macht, diese in unserem Leben zu nutzen, um uns zu sich zu ziehen. Letztlich hilft sie uns zu erkennen, dass wir nie wirklich allein sind, selbst wenn wir uns unverstanden, verlassen oder aufgegeben fühlen.

Pb., 192 S., 13,5 × 20,5 cm
Best.-Nr. 271723
ISBN 978-3-86353-723-4

Lillie Zöckler
Gott hört Gebet
Das Leben und Wirken Theodor Zöcklers unter den Galiziendeutschen

Theodor Zöckler (1867–1949) war evangelischer Pfarrer in Stanislau, Ostgalizien, einem Gebiet, das heute zur Westukraine gehört. Dort hatten sich im 19. Jahrhundert viele evangelische Deutsche angesiedelt, die einer geistlichen Betreuung und Begleitung bedurften. Durch Zöcklers Anstoß unter gemeinsamer Leitung mit seiner Frau Lillie entstand ab 1890 ein Glaubenswerk, das aller Beachtung wert ist. Lillie Zöckler merkt man in dieser bewegenden Biografie ihres Mannes an, was höchster Einsatz im Dienst für Gott bedeutet und welche Frucht er hervorbringen kann.

Pb., 192 S., 13,5 × 20,5 cm
Best.-Nr. 271827
ISBN 978-3-86353-827-9

Chris Morphew
Wie kann ich Gott erleben?

Früher oder später stellen junge Menschen große Fragen über sich selbst und ihren Glauben: Wenn Gott real ist, warum fühlt er sich dann nicht real an? Was kann ich tun, um ihm nahe zu sein? Wie sieht eine Beziehung zu Jesus eigentlich aus? Was ist, wenn der Gottesdienst und das Bibellesen langweilig erscheinen? Chris Morphew zeigt in diesem unterhaltsamen Buch, wie sie in ihrer Beziehung zu Gott wachsen können, und zwar durch gewöhnliche und doch kraftvolle Gewohnheiten der täglichen Nachfolge: Gebet, Bibellesen, Gemeinschaft und Ruhe. Die lebendig erzählten Geschichten helfen jungen Lesern, einen lebensverändernden Glauben zu entwickeln und Tag für Tag mit Jesus zu gehen.

Tb., 112 S., 11 × 18 cm
Best.-Nr. 271965
ISBN 978-3-86353-965-8